A grande busca
pelo sentido da vida

A grande busca pelo sentido da vida

OS GUINNESS

Traduzido por Claudia Santana Martins

MUNDO CRISTÃO

Publicado originalmente por InterVarsity Press, Downers Grove, Illinois, EUA.

Os textos bíblicos foram extraídos da *Nova Versão Transformadora* (NVT), da Tyndale House Foundation, salvo indicação específica.

Edição
Daniel Faria

Revisão
Natália Custódio

Produção e diagramação
Felipe Marques

Colaboração
Ana Luiza Ferreira
Marina Timm

Capa
Jonatas Belan

CIP-Brasil. Catalogação na publicação
Sindicato Nacional dos Editores de Livros, RJ

G982g

Guinness, Os
A grande busca pelo sentido da vida / Os Guinness ; tradução Claudia Santana Martins. - 1. ed. - São Paulo : Mundo Cristão, 2022.
144 p.

Tradução de: The great quest
ISBN 978-65-5988-166-6

1. Espiritualidade. 2. Vida cristã. 3. Significado (Filosofia) - Aspectos religiosos - Cristianismo. I. Martins, Claudia Santana. II. Título.

22-79960 CDD: 248.4
CDU: 27-584

Meri Gleice Rodrigues de Souza - Bibliotecária - CRB-7/6439

Categoria: Espiritualidade
1ª edição: novembro de 2022

Publicado no Brasil com todos os direitos reservados por:

Editora Mundo Cristão
Rua Antônio Carlos Tacconi, 69
São Paulo, SP, Brasil
CEP 04810-020
Telefone: (11) 2127-4147
www.mundocristao.com.br

DOM
E para CJ.

Em grata lembrança de
Blaise Pascal, G. K. Chesterton e C. S. Lewis,
o trio brilhante dos que se tornaram os guias mais confiáveis
em minha busca por fé e sentido.

Sumário

1
Convite para uma vida examinada

Você está sempre tentando entender as coisas? Há em seu coração um desejo profundo de um sentido de ordem e integração? Já experimentou um sentimento de admiração diante da beleza do mundo e do mistério da existência? Ou você não se interessa por questões como essas? Para aqueles que estão dispostos a buscar uma vida examinada, há um caminho seguro para explorar tais desejos. Venha comigo e consideremos as perguntas em si e a grande busca pela fé e sentido que elas incitam. O prêmio proporcionado por tal busca não é nada menos do que uma vida digna de ser vivida.

"Esqueça as pesquisas de opinião. Pense por si mesmo." Essa antiga máxima precisa ser recuperada hoje em dia, nestes tempos obcecados com o outro. Muita gente se interessa muito pouco por assuntos como o sentido da vida. Interessam-se apenas quando as questões são populares entre os outros também. Dificilmente essas pessoas já refletiram sobre o que é a vida, e elas não têm nenhuma curiosidade quanto ao motivo pelo qual existem. Insista em lhes fazer essas perguntas e lhe dirão que tudo o que importa é que elas estão vivas e com saúde, desfrutando da vida no dia a dia — e sob as generosas condições do mundo moderno, que, com certeza, não são tão más. O melhor caminho, elas nos dizem, é fazer o que temos a fazer e aproveitar a vida enquanto podemos. Afinal, diz-se que estamos entrando na era mais irreligiosa na história da humanidade, em que a seriedade em relação à fé e ao sentido é irrelevante para mais pessoas do que nunca. Já temos o suficiente com que nos preocupar. Por que deveríamos nos preocupar com questões impossivelmente complexas sobre qual é o *propósito* da vida?

De quando em quando nos apontam os "NDAs" religiosos, os "nenhuma das anteriores", como exemplos dessa indiferença que está na moda. Eles são a maré crescente daqueles cuja fé está em refluxo, a "Praia de Dover" de Matthew Arnold* de nossos tempos. Sem dúvida, aquilo em que os NDAs dizem que não creem mais, e em que dizem que é importante que todos creiam, com frequência significa muito pouco e parece importar ainda menos. O resultado é um niilismo despreocupado, muitas vezes mascarado sob uma bravata espertinha. Muitos dos NDAs soam como se fossem tão cultos quanto Platão mesmo quando declaram bobagens. ("Sou um ateu que acredita em Deus", declarou um solenemente. Outro tuitou com pseudoprofundidade uma afirmação contraditória semelhante para seus milhões de seguidores: "Se houvesse um sentido supremo no universo, sua vida seria inútil".)

Comparados à maioria das pessoas em quase todas as épocas anteriores, muitos da geração atual são não apenas desinteressados, mas também não instruídos sobre como buscar o sentido da vida. A situação é tão confusa e caótica quanto aquela a respeito do caminho seguro para relações duradouras. Muitas das elites atuais descartam como sem sentido a

*Poema de 1867 em que o autor observa as ondas na praia e faz um paralelo com o declínio da fé diante da ascensão da ciência (N. da T.).

própria ideia de sentido da vida. Como resultado, os caminhos para a busca são cercados, bloqueados e cada vez mais desconhecidos e inexplorados. Para qualquer um que ainda esteja determinado a romper com a multidão e lançar-se por conta própria, a busca é frequentemente aleatória e assistemática — uma questão de cada um por si.

Mas será que nossa geração é realmente tão indiferente que não nos perguntamos mais sobre o sentido da vida? O que diz de nós e de nossa visão da existência o fato de que nos contentamos em supor que não há mais nada na vida além de andarmos a esmo o melhor que podemos? Por que estamos aqui? O que podemos saber? O que é uma vida boa? Qual deve ser nossa relação com o cosmos em que vivemos? Devemos nos contentar com clichês e pensamento de consenso? Se a incidência crescente do suicídio nos abre os olhos para o fato de que demasiadas pessoas não querem continuar existindo, então a taxa de natalidade em queda abrupta em todo o mundo moderno levanta uma questão semelhante em um nível diferente: O que seria preciso para que a humanidade deseje continuar a existir de modo frutífero?

Durante muitas gerações, teria sido considerada uma declaração confiável a de que a fé em Deus é parte essencial da experiência humana. Carl Gustav Jung dizia que a pergunta fundamental na vida humana é se estamos ou não relacionados com o infinito. Mas no debate cultural atual essa afirmação já não soa evidente. Está realmente superada, é arrogante ou é simplesmente absurda? "O simples fato é que a religião deve morrer para que a humanidade viva", anunciou um famoso apresentador de rádio nos Estados Unidos, sem fazer rodeios. Muita gente hoje em dia diz que não quer Deus, outros dizem que não precisam de Deus, e alguns agora dizem que, com a biogenética e a ultrainteligência, eles podem substituir Deus. E quem vai dizer que estão errados, eles acrescentam, se eles parecem viver tão facilmente sem Deus?

Como você especificaria as opções básicas para refletir sobre o sentido da vida? A situação melhoraria ou pioraria para você se disséssemos que nossa garantia final na vida não deveria estar em Deus nem em qualquer religião, mas somente na razão humana, na ciência, na tecnologia, na gestão, na natureza e na história? Você concorda com a famosa máxima de Bertrand Russell de que "o que a ciência não pode descobrir, a humanidade não pode conhecer"? Você se contenta em viver no que Platão chamava de "caverna", onde não se permite que o sol penetre, e que Peter Berger descreveu como "o mundo sem janelas"? Você se sente confiante em que nós, seres humanos, desvendaremos de alguma forma os mistérios e desafios da vida e do universo por conta própria e seremos capazes de viver bem juntos nesta pequena bola azul que é nosso lar?

A verdade é que a necessidade urgente de nossos tempos é uma seriedade revigorada a respeito da existência humana e uma abertura renovada a perguntas fundamentais. Respostas a perguntas fundamentais são não apenas vitais para cada um de nós enquanto indivíduo, como também para sociedades e civilizações inteiras. Com efeito, não existem grandes sociedades ou civilizações sem respostas confiáveis a perguntas fundamentais, e tais respostas precisam se tornar vitais novamente em nossas escolas, universidades e em nosso debate público, tanto quanto em nossas famílias. Nem só de cinismo vive o ser humano. Saber o que é a vida é essencial para encontrar felicidade na vida. A lacuna entre a realidade de um ser humano e o ideal de ser humano é agora preocupantemente ampla, e estamos nos aproximando do alerta de C. S. Lewis de uma geração controladora que, por meio da engenharia genética e psicológica, é capaz de decidir o rumo de todas as gerações futuras — e tudo sem o consentimento dessas outras gerações.

Apesar disso, muitos se tornaram complacentes em relação aos engodos e às ilusões de nosso avançado mundo moderno. Temos coisas demais a tolerar e muito poucas razões por que viver. Enamoramo-nos da ilusão de nosso próprio domínio e controle, e até da onipotência humana. Muita gente vive como se, na célebre rejeição de Heinrich Heine a Karl Marx, fossem "ateus deuses de si mesmo" que se imaginam autossuficientes. Mas, depois de uma pandemia global, podemos mesmo acreditar que estamos no controle de nós mesmos e de nosso mundo, e no controle da história e do futuro? E se isso for uma ingenuidade, se não orgulho arrogante, que não podemos mais nos permitir?

O primeiro passo essencial para todos nós é explorar o que acreditamos ser o sentido da vida e, à luz dele, aprender a vivermos juntos bem, mesmo com outros que possuam visões um tanto diferentes sobre o que é a vida.

Como vemos a vida?

Todos certamente podemos começar a busca com a simples verdade de que o primeiro e maior bem que possuímos na vida é a própria vida. Mas como é que vemos a vida e nossa própria vida? A vida é breve, a vida é frágil e a vida é ofuscada pela morte ao final. Você vai morrer, eu vou morrer, e a morte zomba da maioria de nossas ideias e ações atuais. (O autor Philip Roth, em seu octogésimo aniversário, cita

Franz Kafka: "O sentido da vida é que ela acaba".) Então, o mero fato de uma vida curta, vivida no rumo de uma morte certa, levanta a questão do sentido da existência humana. O que significa a vida? Vivemos apenas uma vez e não existe ensaio para essa nossa entrada única no palco, ou ficamos dando voltas e voltas ao redor com o "eterno retorno" de intermináveis entradas e reentradas (ou reencarnações)? Como devemos entender a vida a fim de aproveitá-la ao máximo e viver bem uns com os outros?

Nós humanos, ao que parece, somos a única forma de vida que se coloca a pergunta *por quê*. Somos os únicos que podem voltar no tempo com a memória e a história, bem como avançar nele com a imaginação e a perspectiva. Tudo indica que somos a única espécie que tem consciência da vida de forma tão ampla ou que se indaga sobre o sentido das coisas. Então não é tão surpreendente que a vida nos coloque questões fundamentais. O sentido de algo só pode ser entendido dentro do sentido mais amplo de tudo. Para que vivemos? Como aproveitamos da melhor forma a vida que recebemos? A quem ou ao que devemos responder por nossa vida? O que significa viver uma vida bem vivida e uma vida que vale a pena viver?

Obviamente, nenhum de nós decidiu começar a existir. Não escolhemos nossos pais, nem escolhemos quando ou onde nascer, então seria absurdo pensar que devemos a vida a nós mesmos. E com certeza é ridículo e assaz arrogante pensar que a vida se refere apenas a nós, já pelo fato de que existem tantos bilhões de outras pessoas vivas ao mesmo tempo. Além disso, o fato é que está chegando o momento em que não estaremos aqui, e não levará muito tempo até que a vida continue como se nunca tivéssemos estado aqui.

A quem ou ao que, então, devemos a vida, e o que ela vem a ser? Devemos a vida a nossos pais, à sociedade, à natureza, à evolução, ao universo, a Deus ou aos deuses — se é que existe algum? O que significa para nós existir ou ser? Como devemos responder ou mesmo retribuir ao dom da vida? E como vamos fazer máximo proveito da maravilhosa dádiva do tempo, para que saibamos, pelo menos, que empregamos da melhor maneira possível nossos dias?

Este livro é para aqueles que se preocupam com tais perguntas. Deixe-me iniciar com três histórias de respostas diferentes a essas perguntas. Salvador Dalí, o pintor espanhol, era extravagante tanto na vida real quanto na arte. Adorava promover sua própria imagem pública; criou quadros e orquestrou um estilo de vida que zombava das convenções e deleitava-se em surpreender as expectativas do público. Esse impulso de desafiar tinha raízes profundas na história pessoal de Dalí. Suas relações com o pai haviam sido turbulentas. Certa vez, depois de uma cena tempestuosa entre pai e filho, o jovem Dalí saiu bruscamente da casa do pai. De volta à sua própria casa, ele se masturbou, colocou o esperma em um envelope, endereçou-o ao pai, e — como se estivesse pagando uma conta de gás ou luz — escreveu no envelope: "Dívida quitada".

Muito diferente era o mundo bem-sucedido de um empresário de Nova York, que era tão ocupado que não teve tempo para estar presente na maternidade quando a esposa deu à luz seu filho. A primeira oportunidade que teve de ver o bebê foi quando a mãe e o bebê foram para casa. Finalmente, ele tirou uma folga do trabalho, foi para casa, atravessou o quarto até o berço e olhou para o filho recém-nascido. Um olhar de assombro se estampou em seu rosto. Um amigo lhe perguntou o que o havia espantado, e ele respondeu: "Não entendo como eles conseguem fazer um berço desses por apenas 29,50 dólares".

Poucas pessoas poderiam ser mais diferentes do artista e do empresário do que o grande filósofo judeu Abraham Joshua Heschel. Nascido em Varsóvia, na Polônia, e educado na Berlim de Hitler nos anos 1930, ele se descrevia como "um tição arrancado do fogo". Chegou aos Estados Unidos poucas semanas antes da invasão da Polônia, sem saber que iria perder a mãe, as irmãs e muitos outros membros da família em Auschwitz-Birkenau. Em Nova York, onde morou o restante da vida, tornou-se não apenas um grande líder judeu, mas também filósofo e acadêmico, ativista dos direitos civis ao lado do dr. Martin Luther King Jr., poeta e intelectual amplamente respeitado. Atingido por um ataque cardíaco quase fatal ao final da vida, contou a um amigo: "Quando recuperei a consciência, meus primeiros sentimentos não foram de desespero ou de raiva. Senti apenas gratidão a Deus por minha vida, por todos os momentos que havia vivido. [...] Foi isso o que quis dizer quando escrevi: 'Não pedi sucesso; pedi deslumbramento. E tu me atendeste'".

Podemos muito bem perguntar o que era pior: a total ingratidão de Dalí para com seus pais, que lhe haviam dado a vida, ou o crasso reducionismo do empresário, que ignorou o milagre da vida em troca de dividendos da economia de mercado? Da mesma forma, podemos perguntar como Heschel, apesar de Auschwitz e da aniquilação de sua família e de tantos de seu povo no Leste da Europa, e apesar do racismo e dos males contra os quais protestou tão ardentemente nos Estados Unidos, ainda pudesse considerar o deslumbramento como a fonte da sabedoria e da gratidão, assim como a única resposta adequada ao dom da vida com o qual ele acreditava ter sido agraciado.

Como nossas respostas podem se comparar a essas três? Você já pensou em como vê a vida? Histórias como essas poderiam ser ampliadas interminavelmente, mas a verdadeira questão é como cada um de nós vê a vida, e como estamos tentando desfrutar dela da melhor forma e viver bem e com sabedoria.

Sem curiosidade nem questionamentos

A verdade é que muita gente nunca se pergunta "Por que estamos aqui?". Mostram pouco interesse no sentido de sua existência. Apenas encaram a vida e o tempo como fatos consumados. Afinal, eles estão respirando, comendo, trabalhando, dormindo, falando e rindo hoje assim como estavam ontem. Para a maioria das pessoas, na maior parte do tempo, o amanhã parece apenas uma repetição do mesmo. É fácil viver assim, porque a maioria das pessoas simplesmente aceita a si mesma e sua existência, e nunca se pergunta sobre os costumes e os modos de viver dos que estão ao redor. Com muita frequência, paramos de fazer perguntas quando nos tornamos adultos e perdemos a curiosidade que tínhamos quando crianças. Assim, nunca paramos para nos maravilhar de quão assombrosa a vida é — e não apenas nossa vidinha, mas a existência do próprio universo, o sol, a lua, as estrelas e as galáxias, assim como o milagre das coisas simples que nos rodeiam, como as gotas de orvalho, os dentes-de-leão e os cachorros.

Não obstante, a existência em si é espantosa. Se você parar para pensar, surgem mil perguntas de todos os tipos. Por que existe algo, em vez de nada? O que trouxe a existência à existência? Por que cada um de nós está aqui? O que viemos fazer aqui? Se não viemos de nós mesmos, por que achamos que temos direito absoluto sobre nós mesmos e a quem, então, devemos prestar contas? Como devemos nos relacionar com o mundo ao redor e com as outras pessoas, e decidir o que é verdadeiro ou falso, certo ou errado, justo ou injusto? Como aproveitamos da melhor forma o que é, na verdade, um momento bastante fugaz neste mundo? Será que essa vidinha é tudo o que existe, ou existe algo mais depois dela?

Não demora muito tempo até você se ver levantando questões que ecoam aquelas que seres humanos como nós têm feito há séculos. A mera existência, simplesmente estar vivo, é uma coisa, mas a vida e todo um universo com sentido, propósito e compreensão é outra. Como tudo veio a ser o que é? O que significa viver bem? Como encontramos uma sólida fundação para nosso propósito na vida, para nossos amores, nossas amizades, nosso trabalho e nossa associação às comunidades em que vivemos? É importante viver o que o grande filósofo grego Sócrates chamava de uma vida examinada — uma vida ponderadamente responsável? É estranho que, assim que começamos a pensar nisso, a vida coloque mais perguntas do que ofereça respostas, mas, de algum modo, raramente nos preocupamos com as perguntas. É como se tivéssemos todas as respostas de que precisamos.

Precisamos de significado como precisamos de oxigênio

Será que perguntas como essa realmente importam, ou são apenas para filósofos? Estranhamente, há muitos filósofos de verdade hoje em dia que fazem pouco até da ideia de sentido da vida. A procura de sentido, diz um livro, é uma tarefa adequada apenas a místicos, comediantes e loucos. Diz a lenda que um motorista de táxi de Londres certa vez perguntou ao ilustre matemático e filósofo Bertrand Russell qual ele achava que era o sentido da vida. O maior filósofo de sua época ficou aturdido. *Apenas perguntas exatas merecem respostas exatas*, os filósofos respondem meticulosamente. A própria pergunta teria de ser formulada rigorosamente antes que pudesse ser respondida adequadamente. "O universo só está lá, e isso é tudo", Russell costumava dizer, sem nenhuma curiosidade para um filósofo.

Os comediantes gostam de brincar com essa questão também. Para a trupe do Monty Python, a vida é absurda, então perguntas sobre o sentido da vida são bobas, e as respostas também são absurdas. Uma das noites mais divertidas de minha vida foi quando minha esposa e eu jantamos com Douglas Adams, autor de *O guia do mochileiro das galáxias*. Nesse livro, foi pedido ao computador Pensador Profundo que decifrasse o sentido da vida, e ele levou sete milhões e meio de anos para finalmente chegar à resposta: 42. O mundo, então, precisou construir um computador ainda maior para descobrir qual era a pergunta. A procura do sentido da vida, alguns dizem, talvez seja o único sentido que há na vida.

Esse desdém talvez seja comum em círculos intelectuais hoje, mas certamente é uma das atitudes mais tolas em nossa era esclarecida, que, com muita frequência, é arrogante demais e acaba tropeçando na própria tolice. Encarar a vida sem questionamentos é um dos piores erros em nosso mundo moderno, em uma época em que menos podemos nos permitir esse tipo de erro. O fato é que a vida do *Homo sapiens* envolve mais do que instintos animais e a satisfação das necessidades físicas.

As necessidades dos animais podem ser facilmente satisfeitas. Até nossas próprias necessidades animais, tais como comida e sono, podem ser satisfeitas com relativa facilidade. Mas os seres humanos possuem necessidades mais profundas, inclusive a necessidade de amar e ser amado, uma necessidade que só pode ser satisfeita por meio do sentido. "Sou necessário?" é parte integrante de "Quem eu sou?", "O que estamos fazendo aqui?" e "Qual o sentido da vida?".

Se a procura de sentido é considerada loucura, deveríamos perguntar o que é mais louco: acreditar no sentido na forma como o supomos todos os dias, procurar por sua fonte e talvez encontrá-la, ou descartar a própria procura como loucura e conformar-se com uma vida sem nenhum sentido? A verdade é que nós, humanos, somos mercadores de sentido. O sentido é tão natural para nós quanto o ar que respiramos e a terra em que pisamos. Cada palavra que pronunciamos, cada ato que executamos, cada plano que elaboramos (e cada frase que você está lendo) nos grita "sentido, sentido, sentido!". Sem sentido, tanto nossa vida cotidiana momento a momento quanto nossa vida considerada como um todo seria pior do que trivial. Seria sem valor e fútil.

Será que os intelectuais contemporâneos realmente pensam que, embora nossa vida diária esteja carregada de sentidos irreprimíveis, não importa se há algum sentido na vida humana em si ou no universo? Como eles podem dizer isso? O que, além da presunção, os leva a concluir que o que eles mesmos não veem não pode estar lá, e que ninguém mais irá descobrir também? Se não há sentido no que *somos*, por que há sentido no que *dizemos* ou *fazemos*? Será que toda a vida humana é simplesmente uma escalada interminável de escadas que estão apoiadas nas paredes erradas? Quantas pessoas teriam de perguntar como o Ivan Ilitch de Tolstói: "E se toda a minha vida estiver errada?" Como responderiam ao apelo sincero do autor Philip Roth, seu mantra quando sua própria vida estava se desintegrando: "Minha vida é um problema que não consigo resolver"?

Uma razão para viver

A verdade é que nós, humanos, não conseguimos viver sem um sentido tanto quanto não conseguimos viver sem respirar, comer e beber. A vontade de viver e a vontade do sentido são uma só, e ambas são essenciais à nossa humanidade. Todos nós precisamos entender a vida. Todos nós precisamos encontrar segurança no mundo. É o que dá a cada um de nós uma narrativa em nossa vida. *Compreensão*, *segurança*, *narrativa* — sem elas, a falta de sentido se torna um problema sério, e o suicídio, uma séria possibilidade.

"Aquele que tem um *porquê* viver pode suportar quase qualquer *como* viver", Nietzsche escreveu em *Crepúsculo dos ídolos*. Mas precisa haver uma razão. Intuitivamente, a falta de sentido é inaceitável, até insuportável, para os seres humanos. Na noite sombria e escura de Auschwitz, onde não havia razões em resposta ao horror do mal, o psiquiatra Viktor Frankl descobriu que algum fragmento de sentido, por menor que fosse, era uma necessidade absoluta para a sobrevivência. Sem isso, seus companheiros de prisão não tinham motivação para viver quando a vida era um inferno e a morte parecia a única escapatória. Sem pelo menos aquele fragmento de sentido, eles se reduziam a meros trapos. Ficavam em seus beliches, desistiam e morriam. Mais tarde, essa visão central se tornou o centro dos célebres livros de Frankl, *Em busca de sentido* e *A presença ignorada de Deus*.

Albert Camus escreveu de forma similar nas célebres palavras de abertura de *O mito de Sísifo*: "Existe apenas um problema filosófico realmente sério: o suicídio. Julgar se a vida vale a pena ser vivida ou não significa responder à pergunta fundamental da filosofia". Camus não queria dizer que todos nós deveríamos pensar em nos matar. Ele estava dizendo que é somente o "porquê" mais profundo e o "por que não" mais difícil que nos impedem de desistir da vida quando a vida se torna insuportável. A vontade de viver e a razão ou o sentido da vida nunca devem ser separados.

Não se deixe abater pelo desdém da torre de marfim ou a zombaria dos comediantes. O sentido da vida é importante demais para ser deixado aos filósofos ou para ser objeto de escárnio. Como entendemos a autenticidade da realidade? Por que valorizamos a dignidade humana ou pensamos que os seres humanos têm valor igual quando nada a nosso respeito parece igual? Onde ancoramos nosso sentido de identidade e propósito, onde desenvolvemos nossa compreensão de certo e errado, e de amor? Como buscamos a felicidade? O que é um ser humano bem-sucedido? Por que nos importamos com nosso próximo e com o "outro"? O que a brevidade da vida, e a inevitabilidade da morte ao final dela, significam quanto ao modo como vivemos? Essas perguntas importam, e nenhuma delas pode ser respondida sem uma percepção subjacente do sentido geral da vida. Precisamos de sentido tanto quanto precisamos de um nome e de uma noção de nossa própria identidade.

A questão não é que cada um de nós tem de seguir sozinho e pensar sobre essas perguntas sem a ajuda de ninguém, a partir do zero. Isso seria entediante e impossível. E também desnecessário, uma vez que muitos pensadores levantaram e pesquisaram essas questões antes de nós, e podemos entrar na conversa que já está em curso e chegar a nossas próprias conclusões. Precisamos, de fato, pensar por nós mesmos, ainda que não sozinhos, e tomar nossas próprias decisões.

O mundo moderno é o maior pretexto da história para uma vida inconsequente, mas o desafio de Sócrates ainda persiste: "A vida não examinada não vale a pena ser vivida". Vamos explorar juntos o que isso significa para a grande busca de fé e sentido.

2

Lançar-se à busca por conta própria

"O ser humano não consegue suportar uma vida sem sentido." Essa foi a conclusão de Carl Gustav Jung, o famoso psiquiatra suíço, após uma vida de estudos. O antropólogo Clifford Geertz concordava: "O impulso de compreender as experiências, de lhes dar forma e ordem, é evidentemente tão real e premente quanto as necessidades mais biológicas". Entretanto, se é assim, isso levanta uma grande questão: Se sentido e propósito são tão importantes para nós, por que tantas pessoas se mostram tão impressionantemente despreocupadas em buscar respostas para isso? Será que Sócrates estava errado? A vida não examinada é muito mais fácil do que a vida examinada. Talvez todo o conceito de vida examinada seja uma perda de tempo, um luxo, em vez de uma necessidade. Será que faria alguma diferença no modo como de fato vivemos?

Existem diversas razões importantes pelas quais muitas pessoas não se preocupam em dedicar sérios pensamentos sobre o sentido da vida e, assim, acabam com uma vida não examinada. Vou indicar algumas das principais. Talvez sejam exatamente aquelas razões que estão impedindo você ou seus amigos, mesmo que de modo semiconsciente, de se lançarem a uma busca séria. Talvez você sinta que, embora antes tenha pensado intensamente sobre o sentido da vida, agora se vê preso em um congestionamento intelectual e perdeu todas as esperanças de que sua jornada chegue a qualquer destino.

Armas de distração de massa

Um obstáculo comum para uma vida examinada vem do que Blaise Pascal, o matemático francês do século 17, chamava de *diversão*. O escritor russo Liev Tolstói ilustra o cenário para a observação de Pascal. Em seu livro de memórias *Uma confissão*, Tolstói compartilhou a questão que o atormentava. "O que será de toda a minha vida?", ele escreveu. "Há algum sentido em minha vida que não será aniquilado pela inevitabilidade da morte que me espera?" Se realmente pensássemos sobre isso, deveríamos todos fazer a pergunta feita por Tolstói, mas não fazemos. Em vez disso, e aqui é que entra Pascal, nós humanos relutamos em encarar a realidade final da morte que nos confronta a todos ao final da jornada. Assim, negamos nossa mortalidade inevitável. Preferimos não pensar sobre a morte, e cercamo-nos de diversões — ocupamo-nos com distrações agradáveis —, nossas "armas de distração de massa", como já foram descritas.

Pascal ilustrou sua ideia de diversão em termos que se adequavam ao mundo do jogador e do rico ocioso do século 17. Mas essa ideia é ainda mais aplicável a nossos tempos. Pense em todos os aparelhos repletos de artifícios e na promessa da internet de informação, entretenimento e distração intermináveis. Você reconhece o problema? Aqueles que vivem da manhã até a noite presos ao mundo das três telas de celulares, computadores e televisão, ou que passam os dias em diversões como jogos de computador, raramente erguem os olhos para pensar em questões mais elevadas ou para concentrar a atenção nas necessidades mais amplas da vida e do mundo maior. Nós, pessoas modernas, não estamos apenas cercados de diversões; estamos hipnotizados por elas, e raramente elevamos a mente para pensar para além delas.

Mais tarde, mais tarde, mais tarde

Outro sério obstáculo à busca da vida examinada vem do que se chama de *barganha*. Sim, nós com certeza entendemos que o sentido da vida é importante para viver bem a vida. Sim, nós sabemos que a morte nos levará a todos, mais cedo ou mais tarde. Sim, sabemos que devemos refletir sobre as coisas. Mas a palavra-chave em nossa resposta é sempre *mais tarde*. Lidaremos com essa questão mais tarde. Na verdade, prometemos a nós mesmos que o faremos quando tivermos tempo — quando tivermos nos formado, quando a situação profissional estiver mais estável, quando os filhos forem mais velhos, quando as prestações da casa tiverem sido pagas, quando estivermos aposentados e tivermos tempo de sentar e pensar sobre o assunto. "Mais tarde, mais tarde, mais tarde", dizemos, enquanto evitamos as perguntas-chave sobre a vida. Cuidaremos delas mais tarde.

No fim das contas, é claro, não existe mais tarde, e a morte chega para todos nós. Mas quando esse tempo se aproxima, o impulso faustiano é ativado. Queremos fazer uma barganha com o diabo para ganhar só um pouquinho mais de tempo, um pouquinho mais de conhecimento, um pouquinho mais de poder — ou dinheiro, fama, sexo ou seja lá o que for que desejemos. O problema, como Christopher Marlowe e Goethe mostraram em suas versões da história de Fausto, é que o diabo leu as letras miúdas do contrato, e Fausto não leu. Então, no final, há sempre um final. Um dia não haverá mais *mais tarde*. Ou como Jesus de Nazaré expressou sem fazer rodeios em uma de suas parábolas, Deus diz: "Louco! Esta noite te pedirão a tua alma".

Muito melhor refletir sobre essas questões no momento certo e aproveitar a vida da melhor forma à luz dessas reflexões. Uma pessoa sábia reflete sobre o sentido da vida a fim de viver bem. A procura do sentido da vida deve ser oportuna tanto quanto examinada.

Quem consegue ouvir alguma coisa com todo este barulho?

Um terceiro obstáculo comum para uma vida examinada vem do *barulho e interferência* de dentro de nossa própria vida e de nosso passado. Do ponto de vista da sociedade ou das outras pessoas que vivem hoje, todos nós somos comuns. Como poderíamos ser qualquer outra coisa quando vistos em massa como um dos bilhões de seres humanos que estão vivos ao mesmo tempo? Mas, de nossa própria perspectiva interior, cada um de nós é único, precioso e insubstituível, e nossas experiências pessoais (inclusive nossas esperanças e preocupações) frequentemente se tornam exageradas e criam distorções em nossa resposta à vida, muitas vezes de maneira inconsciente.

Por exemplo, conheci um jovem algum tempo atrás que alegava que jamais conseguia ir muito longe em sua procura do sentido sem ficar com medo ou raiva, o que o levou a parar de procurar. Quando ele me contou mais sobre sua história, a causa da interferência se mostrou óbvia, embora ele nunca a houvesse levado em conta. Ele crescera em uma família arruinada pela violência doméstica. Acima de tudo, a violência do pai e a forma como o pai maltratava a mãe dominavam-lhe a vida. Era algo tão ameaçador que praticamente qualquer autoridade — o diretor da escola, o patrão no trabalho, a esposa em casa ou até a mera possibilidade de que existisse um Deus — despertava-lhe reações fortíssimas. A autoridade como ele a conhecia era dominadora, então a autoridade em si era impensável para ele. A autoridade de qualquer tipo reavivava antigas cicatrizes. Ele se ressentia de todas as ideias exteriores como se fossem interferências em sua liberdade e segurança, e com isso suas experiências passadas agiam como grilhões que o impediam de andar para a frente. Vendo tantas portas fechadas diante de si já de início, ele praticamente cancelava sua jornada antes de partir. O espectro do pai se tornou o barulho e interferência que lhe bloqueavam a busca. Ele precisava se curar até para iniciar.

Tenho certeza de que todos nós conhecemos pessoas com problemas semelhantes. Uma vida não examinada encontra seu álibi perfeito em um passado não resolvido. Na verdade, porém, se considerarmos esses três maiores tipos de obstáculos — diversão, barganha e barulho/interferência — e outros, e percebermos quão comuns eles são, entenderemos por que há tanta gente que não se importa o bastante para pensar sobre o sentido da vida.

Você encara com seriedade a questão de uma vida examinada? Muitos, se não a maioria hoje, orgulham-se de estarem abertos para a vida e para os outros, mas é mais difícil ser verdadeiramente aberto do que muitos admitem, até para si mesmos. A procura de fé e sentido exige abertura, honestidade e coragem, o que significa que o genuíno investigador é uma pessoa incomum — mas também é incomum a recompensa de uma vida genuinamente examinada.

Vida como jornada

Este livrinho é a tentativa de uma pessoa de propor uma resposta para tais perguntas, ou melhor, é uma tentativa de propor como alguém que pensa pode começar a responder a tais perguntas de uma forma que seja tanto racional quanto responsável. É sempre um erro reduzir a filosofia à biografia, e o sentido da vida, ao horizonte da vida de uma pessoa. Mas a procura de sentido é uma jornada pessoal, e a consciência do que cada um de nós é e onde estamos na vida é essencial para a procura.

Intitulei-o *A grande busca pelo sentido da vida* porque é uma investigação indispensável para aproveitar a vida da melhor forma possível. Encontre a resposta e você terá a chave para apreciar verdadeiramente a vida e o mundo, e encontrar sentido, propósito e realização em tudo o que faz. Ignore a busca pelo sentido e, por mais longos ou curtos, bons ou maus que sejam seus dias, você estará sempre, em algum grau, passando sonambulamente pela existência.

Minha própria jornada e investigação pessoais ocuparam vários anos quando eu estava no final da adolescência e nos vinte e poucos anos. Lia muito e desfrutava das conversas sempre que tinha a oportunidade. Logo, excluí as religiões orientais como a solução para minhas perguntas, embora as conhecesse bem devido à infância passada na Ásia. A procura para mim então se limitou aos debates entre o ateísmo e as religiões abraâmicas. De um lado, eu lia autores como Friedrich Nietzsche, Jean-Paul Sartre e Albert Camus; de outro, autores como Blaise Pascal, G. K. Chesterton e C. S. Lewis. Mesmo quando acabei chegando a minhas próprias firmes convicções, a ideia de escrever sobre a jornada nunca me passou pela cabeça. Essa ideia me veio anos mais tarde, quando tive de ir a um hospital na região de Washington, DC, para uma ressonância cerebral. Fui devido à suspeita de um tumor no cérebro, o que, felizmente, acabou não se confirmando. Quando estava prestes a entrar em um dos primeiros aparelhos de ressonância magnética, uma das enfermeiras me perguntou:

— O senhor é claustrofóbico?

— Não — respondi. — Mas por que pergunta?

— Ah, algumas pessoas não aguentam esse aparelho. Nós o chamamos de "máquina-caixão de defunto"!

Ambos rimos, mas, quando entrei na máquina, não pude deixar de pensar nas palavras dela. Eu poderia estar deitado em meu próprio caixão. Diz-se que as pessoas que estão se afogando veem toda a vida passar diante dos olhos, e da mesma forma minha vida se desenrolou diante de mim como uma grande retrospectiva em Technicolor. Nasci na China. Vivi em três grandes continentes e viajei por boa parte do mundo. Tive o privilégio de conhecer algumas das pessoas mais importantes e extraordinárias do século passado, inclusive Winston Churchill, Bertrand Russell e o presidente dos Estados Unidos Ronald Reagan. Entre outros, conheci Malcolm Muggeridge, o ilustre jornalista e iconoclasta; A. J. Ayer, o filósofo e ateu de Oxford; Elie Wiesel, o mais célebre sobrevivente de Auschwitz; Roger Bannister, o primeiro homem a correr uma milha em menos de quatro minutos; Edmund Hillary, o primeiro a escalar o monte Everest; e Chiang Kai-Shek, o último líder da China livre. Mais importante no que diz respeito à busca, conheci e conversei com centenas de pessoas em meio a seu processo de procura pelo sentido, e aquelas que estavam relembrando a busca e como haviam empreendido sua investigação.

De repente, naquele dia, enquanto estava deitado em meu "caixão", a experiência da vida vivida como uma jornada se tornou dramaticamente real para mim. A vida examinada e nossa busca humana de descobrir as coisas é uma investigação, uma peregrinação, uma jornada rumo ao sentido, uma busca que é inevitável se queremos aproveitar da melhor forma possível a própria jornada da vida. A *jornada* é o quadro mais universal de nossa vida humana no planeta Terra, e do que significa para nós desfrutar da melhor forma possível do mundo e dos tempos em que vivemos.

"Quando me encontrava na metade da jornada de nossa vida, encontrei-me em uma selva escura." Essa é a abertura da famosa história de aventuras metafísica de Dante, *A divina comédia*. De livro hebraico do Êxodo até a *Odisseia* de Homero, a *Eneida* de Virgílio, os *Contos de Canterbury* de Geoffrey Chaucer, o *Dom Quixote* de Miguel de Cervantes, o *Peregrino* de John Bunyan, as *Aventuras de Huckleberry Finn* de Mark Twain, o *Coração das trevas* de Joseph Conrad, o *Sidarta* de Herman Hesse e *Pé na estrada* de Jack Kerouac, o tema da jornada retorna constantemente — e esses exemplos são apenas do Ocidente.

A vida é uma jornada, uma viagem, uma busca, uma peregrinação, uma odisseia pessoal. Todos nós, sem exceção, encontramo-nos em algum ponto entre o início e o fim da jornada. Não escolhemos o dia em que nascemos e não sabemos o dia em que morreremos. Não fomos nós a origem de nossa vida. Mas, por bem ou por mal, estamos vivos agora, e não há como voltar no tempo. O tempo corre adiante, e não há como ficar parado. Por bem ou por mal, somos lançados na vida. Nós estamos na jornada, inevitável e irreversivelmente, e cabe a nós descobrir como aproveitá-la da melhor forma. Uma filosofia de vida é muito mais do que uma biografia, mas uma filosofia satisfatória está sempre enraizada inextricavelmente na biografia e na narrativa de nossa vida.

Sócrates fez sua famosa declaração de que "a vida não examinada não vale a pena ser vivida" pouco antes de ser executado por ordem dos democratas atenienses. Tornou-se uma das frases clássicas mais citadas fora da Bíblia, mas, se você pensar por um instante, notará que é muito mais citada do que seguida. Isso significa então que, se Sócrates está correto, muita gente, até muitas pessoas extremamente cultas, está levando uma vida que não vale a pena ser vivida. Elas simplesmente não se dão ao trabalho de pensar o suficiente, ou não se importam o suficiente, para indagar sobre o sentido da vida. Não exploram questões fundamentais, como a natureza do universo, sua própria identidade e propósito, uma base para decidir o que é certo e o que é errado, as perspectivas da humanidade, que visão do mundo explica melhor o mundo, e assim por diante.

Você já chegou a suas próprias conclusões em termos de uma vida examinada? Está preparado para refletir por conta própria? Suas convicções são verdadeiramente suas ou simplesmente ideias emprestadas da família, dos amigos ou da sociedade em que você cresceu? Estou aqui apenas como um guia. Todos os desafios da jornada e a responsabilidade pelo resultado serão seus, mas também sua será a satisfação da recompensa — uma vida examinada e uma vida bem vivida.

3
Uma aventura, mais do que uma argumentação

Felizmente, o desprezo disseminado quanto à vida examinada não é a história toda. A busca é importante demais para ser limitada a "poucos e privilegiados". Há muita gente que está preparada para encarar o desafio de Sócrates e que deseja levar uma vida examinada. Essas pessoas se importam. Estão preparadas para pensar e estão dispostas a confrontar toda e qualquer barreira que as possa impedir de chegar ao objetivo. Minha esperança é que, ao juntar-se a mim, você esteja nessa situação mais bem-aventurada. Este livro é escrito para você e para que você compartilhe com quaisquer outros que estejam interessados também.

O que estou tentando fazer é mapear o percurso da exploração de uma pessoa pensante na jornada rumo à fé e ao sentido, e fazer isso descrevendo as fases gerais de busca e as fases-chave pelas quais esse investigador passa. Mas serei claro e cristalino desde o início: não quero que este relato da busca seja lido como um argumento autônomo em defesa da fé. Ao contrário, é um convite para uma aventura em que você pode encontrar fé e sentido por conta própria. Assim, em nome da sinceridade e a fim de não criar falsas expectativas, gostaria de deixar claro o que estou tentando fazer e o que não estou tentando fazer.

Setas, não provas

Em primeiro lugar, minha meta é indicar um caminho, e não provar algo. Este é um convite para você pensar em explorar, de modo que se lance à jornada e empreenda você mesmo a busca. Ler apenas jamais será o suficiente. Este livro não pretende, de modo algum, ser uma argumentação logicamente incontestável que o convença de uma ideia abstrata mas que, essencialmente, o deixe onde está agora. Isso significa, é claro, que, se você seguir esta sugestão e se lançar a explorar por conta própria, não há certeza sobre o lugar aonde acabará chegando. Teoricamente, você pode muito bem acabar como animista, ateu, cético ou crente em sabe-se lá o quê. A questão é que a investigação coloca em você, o investigador, a responsibilidade de buscar a fé e o sentido. Esse é todo o objetivo da busca. Tem de ser você. Tem de ser a sua investigação.

A procura da fé e do sentido nunca é exclusivamente privada, porque viver é o que cada um de nós está fazendo ao longo do tempo e do espaço compartilhados em que todos vivemos juntos. Mas a procura é pessoal e existencial. É a sua existência e a minha existência que estão em jogo. Ninguém pode viver sua vida para você, e ninguém pode pensar seus pensamentos exceto você. Digo isso não para me livrar de minha responsibilidade, mas como uma expressão de pensamento claro sobre o que é exigido pela natureza da busca. Todos podemos ajudar uns aos outros ao longo do caminho, mas cada pessoa precisa empreender a investigação por si mesma, e ninguém pode tomar o lugar de nenhum outro. Pode haver mentores e guias, heróis a seguir e exemplos de como não naufragar, além, é claro, de companheiros de investigação, mas não existe algo como uma busca por delegação. É a sua busca, e você precisa andar com as próprias pernas.

Esse desafio terá importância adiante porque existe uma diferença vital entre as duas principais formas de pensar que moldaram o mundo ocidental — a grega e a judaica, ou, nos termos de Matthew Arnold, a helênica e a hebraica. Tanto os gregos quanto os judeus encaravam a verdade profunda e seriamente, mas de modo bem diferente. Os gregos viam a verdade sobre os deuses e o mundo em termos de um sistema de pensamento, uma busca que poderia ser efetuada apenas pela razão, e uma abordagem que incluía a investigação tanto do mundo natural quanto do reino que vai além da natureza. Os judeus, em contraste, viam a procura da verdade sobre Deus em termos de uma história, que só podia ser descoberta por meio da experiência e do encontro no decurso da vida real. É evidente que a razão disso é que, para os judeus (e mais tarde para os cristãos), Deus é pessoal e conhecido apenas quando encontramos sua presença na realidade. Se você refletir sobre isso, perceberá que jamais conhecemos as pessoas simplesmente ouvindo falar sobre elas. Nós as conhecemos encontrando-as e sendo convidados a ter uma relação de proximidade com elas — e para judeus e cristãos o mesmo é verdade em relação a Deus, e essa é a única forma de chegarmos a conhecê-lo verdadeiramente. Se realmente existir um Deus como a Bíblia o descreve — o que, a essa altura, ainda é um *se* —, saber tudo o que outros pensaram sobre Deus pode tornar-nos extremamente instruídos, mas não nos levará muito longe no caminho do conhecimento de Deus.

Essa diferença em como chegamos a conhecer o que conhecemos significa que a verdade era abstrata para os gregos, mas pessoal, existencial e histórica para os judeus — um sistema para os primeiros, mas uma história e uma narrativa para os últimos. Para os gregos, a busca centrava-se na razão e no que a razão poderia descobrir ou falhar em descobrir. Para os judeus, conhecer a Deus exigia mais do que razão. Não era irracional, mas exigia mais do que a razão — Deus é uma pessoa, então conhecer a Deus exige um encontro com o autor da vida e do próprio sentido, e um relacionamento pelo qual chegamos a conhecê-lo mais intimamente.

Entender essa distinção faz toda a diferença em relação a como a busca avança, e isso por uma importante razão. O pensamento ocidental como um todo — e, portanto, o pensamento ocidental sobre a busca do sentido em particular — muitas vezes é distorcido pela dominância do pensamento grego sobre o pensamento judeu. Não estou dizendo que você como investigador precise escolher entre as duas abordagens nessa fase da investigação. Essa escolha depende do resultado do que você descobrir e decidir na procura, o que, a essa altura, ainda está bem mais à frente. Mas os investigadores precisam reconhecer que as diferenças afetam até o modo como se estrutura a investigação desde o início. Segundo a visão grega e, consequentemente, a visão da maioria dos filósofos, a investigação é simplesmente uma questão de nossa busca humana por fé, sentido e segurança, e portanto razão, raciocínio e reflexão devem bastar. Olhar e pensar é tudo o que se precisa para a sabedoria humana. Uma poltrona e um livro ou dois podem bastar.

A visão da Bíblia, e portanto a visão dos judeus e cristãos, é diferente da visão grega em dois pontos-chave. Em primeiro lugar, uma vez que Deus é uma pessoa, a procura é mais do que nossa busca por Deus; é também uma questão da busca de Deus por nós. Se a Bíblia está correta — e isso é apenas um *se* neste estágio —, Deus é uma pessoa, e nós também somos pessoas, porque fomos feitos à sua imagem. Assim como acontece com todos os relacionamentos pessoais, conhecemos as pessoas de fato não por meio de descrições de terceiros, mas em comunicação direta com elas, acima de tudo em palavras. Da mesma forma, só podemos descobrir Deus quando Deus se revela a nós. Assim, vir a conhecer Deus requer não somente nossa razão e reflexão humanas, mas a revelação de Deus a nós. Segundo essa visão, a busca humana sozinha nunca será o bastante. A sabedoria humana, ou a verdade que os humanos conseguem descobrir por meio da razão e reflexão apenas, é inteiramente legítima em seu lugar — por exemplo, para descobrir as verdades da ciência e de tudo o que Francis Bacon e outros chamavam de o Livro da Natureza. Mas esse tipo de sabedoria nunca será suficiente para nos levar a conhecer outras pessoas ou Deus. Com outras pessoas, fica faltando alguma coisa, mas com Deus a falha é completa. Vir a conhecer Deus como pessoa requer mais do que razão, requer um encontro entre duas pessoas. Requer o "Livro da Revelação", e não apenas o "Livro da Natureza".

Em segundo lugar, conforme o modo judeu e cristão de ver a busca, vir a conhecer a Deus requer um envolvimento pessoal na investigação. Precisamos estar preparados para escutar e prontos para responder enquanto procuramos, e não apenas olhar e pensar. Para além de nosso melhor raciocínio e reflexão, a busca requer que Deus se faça conhecido a nós, e nós estejamos preparados para responder a ele e a todos os que encontrarmos no caminho enquanto procuramos.

Olhar e pensar vão só até certo ponto, que não é longe o bastante. Encontrar e conhecer a Deus exige a abertura para escutar e responder a ele se ele falar. Precisamos estar dispostos para que a procura se torne um encontro interpessoal, e não um exercício feito na poltrona. O caminho grego pode ser plenamente realizado em uma poltrona, em um passeio, pela descoberta de uma prova, e tudo a sós. Mas o caminho hebreu só se realiza pela descoberta da realidade pessoal de uma Presença e o início de um relacionamento. Para conhecer a Deus desse modo, precisamos nos preparar para estar presentes e escutar. Se nos perguntarem "Quem é você e onde você está?", precisamos estar prontos e dispostos a dizer, com total sinceridade: "Estou aqui. Sou todo ouvidos".

Será que existe um Deus pessoal que se dirige a nós? É claro que essa pergunta só pode ser respondida no decurso da busca. Tudo o que importa nesta fase é reconhecer como atitudes diferentes determinam desde o início certos resultados. Quando se trata da procura de fé e sentido, minha compreensão tanto da fé quanto da filosofia me faz valorizar a visão judaica junto com a visão grega. É por isso que estou insistindo em que os argumentos aqui não são tanto provas quanto setas e exigem nosso envolvimento pleno e ativo.

Por que apenas setas? Há duas outras razões pelas quais não estou apresentando provas lógicas. Uma é que, quando se trata do sentido da vida, não acredito que exista algo como provas válidas para todos os casos, para todas as pessoas e em todos os lugares. A outra é que o mero desejo de provas atrapalha a busca. Cria a falsa impressão de que alguém possa ficar sentado, analisar se uma prova parece convincente e então decidir crer ou descrer conforme sua vontade. Não existe isso de ficar sentado em meio à procura. A busca é existencial porque se está apostando a própria existência no resultado do que se descobrir. Minha abordagem, então, será lhe mostrar um caminho, com sinais de orientação, que você deve seguir por conta própria — e então encontrar o que vier a encontrar em meio à busca.

Esta pode, a princípio, parecer uma abordagem mais fraca, como se depositasse menos confiança na razão. Na verdade é o oposto. Siga as setas, ou placas, e elas o levarão a verdades que você encontrará de maneira oportuna e existencial na vida real, em vez de verdades conceituais atemporais concebidas com base apenas na razão. Verdades conceituais nunca vão além de "pegar ou largar", enquanto verdades existenciais são aquelas em que podemos apostar nossa vida. O que quero dizer com isso em termos positivos ficará claro à medida que avançarmos, mas estou ressaltando o negativo aqui para prevenir quaisquer falsas expectativas. Não estou tentando criar um silogismo de três linhas ou uma prova em quatro passos para o que acredito ser o sentido da vida. Nenhuma proposta desse tipo que eu já tenha ouvido é sólida e satisfatória. A própria ideia é errada e inadequada.

Mas não me entenda mal. Não estou tentando me esquivar da importância da razão, ou minimizar a importância de provas. Provas rigorosas são muito importantes em certas áreas da vida, principalmente na matemática e na ciência. Porém nem tudo precisa ou pode ser provado matemática ou cientificamente para ser confiável. Hoje em dia, é consenso que a própria noção de prova implica aceitar certas suposições que não podem elas mesmas ser provadas antes de se tentar provar algo. As suposições são chamadas assim exatamente porque precisam ser feitas antes que qualquer outra coisa possa ser provada.

Não o deus dos filósofos

Ainda mais importante, existem áreas fundamentais na vida, como os relacionamentos entre famílias e amigos, em que provas rigorosas são impossíveis e inadequadas. Refutações podem, com certeza, desempenhar um papel — o adultério é um tapa na cara da fidelidade no casamento, por exemplo —, mas provas estritas e lógicas são fora de propósito. A ciência é uma dádiva inestimável para a humanidade, mas é uma ferramenta e não um ídolo. Assim, a afirmação de Bertrand Russell em *Religião e ciência*, citada anteriormente, de que "o que a ciência não pode descobrir, a humanidade não pode conhecer", é ridícula. Tente "provar" seu amor para seu namorado em uma fórmula ou um silogismo lógico e você pode muito bem receber em retribuição um tapa na cara, não um beijo ou um abraço. Respeito e integridade significam que tudo na vida deve ser entendido em seus próprios termos, e isso se aplica à fé e ao sentido também. Nem fé nem sentido podem ser verificados em um tubo de ensaio, cultivados em uma placa de Petri ou reduzidos a uma fórmula matemática como a de Einstein, $E = mc^2$. Fé e sentido não são mais comprováveis em um sentido estritamente matemático ou científico do que romance e paixão, e isso, com certeza, conta a seu favor. Amor e romance são superiores, não inferiores, por não estarem sujeitos somente à ciência e à matemática, e assim também é a meta de nossa busca de fé e sentido.

Durante anos tenho escutado variações das chamadas provas teístas, os argumentos racionais e especulativos sobre a existência de Deus. Muitas das melhores mentes ao longo dos séculos lutaram longa e arduamente para estabelecê-las do modo mais convincente possível. Elas vão tão longe quanto a razão humana pode alcançar, na ponta dos pés, mas ainda ficam aquém para a maioria dos pensadores e são áridas e complicadas demais para a maioria das pessoas que não são filósofas. Muitos concordariam que alguns dos argumentos são fortes e talvez sólidos logicamente, mas eles ainda podem responder dizendo: "E daí?". Não há dúvida de que os argumentos ajudam a mostrar que a fé é tudo menos irracional, o que é, com certeza, um passo positivo. Mas, para a genuína fé, existe ainda um abismo enorme entre a chamada prova da existência de Deus e a experiência de realmente encontrar-se com Deus e vir a conhecê-lo.

Grandes pensadores judeus, como Abraham Heschel, e grandes pensadores cristãos, como Blaise Pascal, descrevem o deus da razão como nada além da abstração mais elevada, o "deus dos filósofos". Quando Pascal encontrou e vivenciou Deus em sua "noite de fogo" — duas horas intensas das dez e meia da noite até a meio-noite e meia, entre os dias 23 e 24 de novembro de 1654 —, descreveu a experiência com esse contraste bem estabelecido em mente: "o Deus de Abraão, Deus de Isaque, Deus de Jacó, *não o deus dos filósofos e estudiosos*" (itálicos acrescentados). Ele não havia provado a existência de Deus. Havia encontrado e vivenciado Deus de uma forma direta, imediata, inconfundível e irresistível.

O comentário posterior de Pascal em seus *Pensamentos* sobre a fraqueza das provas filosóficas foi ácido: "As provas metafísicas da existência de Deus são tão distantes da razão humana e tão complexas que exercem pouco impacto; mesmo que ajudassem algumas pessoas, isso aconteceria apenas no momento em que elas assistissem à demonstração, porque uma hora mais tarde elas teriam receio de ter cometido um erro". A conclusão de Abraham Joshua Heschel foi similar:

"Não podemos chegar ao paraíso construindo uma Torre de Babel". Apesar de todas as suas realizações vertiginosas, nem a filosofia nem a tecnologia humanas conseguem nos elevar às alturas que precisamos atingir.

Quem arriscaria a vida por um silogismo lógico? Quem já se sentiu moralmente responsável diante de uma prova filosófica formulada por si mesmo? O sentido da vida, e noções como a de deslumbramento, amor, liberdade, justiça e fé vão muito além de qualquer coisa que possa ser provada de uma forma "1, 2, 3, logo 4". Se existe um Deus que criou este vasto e misterioso universo, ele é obviamente mais do que uma teoria pálida e indiferente ou a conclusão titubeante do raciocínio de um filósofo. Os investigadores irão descobrir e vivenciar Deus como a Suprema Presença e, assim, uma realidade de decisiva e máxima importância, ou irão se contentar com uma mera ideia que não tem poder de consolar nem de convencer quando as coisas estão complicadas. O deus dos filósofos é abstrato e não tem coração, enquanto o Deus de Abraão, Isaque, Jacó e Jesus escuta o clamor dos povos, responde a suas orações e conhece seus temores e sonhos. Os próprios seres humanos são a aposta de Deus no universo.

Isso significa simplesmente que não se pode empreender a busca sentado em uma poltrona ou apenas por meio de um telescópio. É preciso sair para o alvoroço do dia a dia e com as mangas arregaçadas. Investigar não é uma questão de "como e quando se deseja", mas de "com o que se tem disponível" e "aconteça o que acontecer". As melhores perguntas e as verdadeiras respostas se encontram no cadinho da vida real e na grande arena do mundo e da história. A razão é uma ferramenta indispensável na busca, e ela deve certamente ser racional, mas também precisa ser pessoal, existencial e circunstancial. Da próxima vez que você vir uma cópia de *O pensador*, a famosa escultura de Auguste Rodin , observe de perto para ver o que o grande escultor enfatizou sobre seu investigador. Se o fizer, verá que o pensador está pensando intensamente como uma pessoa em sua totalidade. "O que faz meu Pensador pensar é que ele pensa não apenas com o cérebro, mas com as narinas dilatadas e os lábios comprimidos, e com todos os músculos dos braços, das costas e das pernas, com o punho cerrado e os dedos dos pés contraídos".

John Donne escreveu que "nenhum homem é uma ilha", e Heschel observou que "nenhum pensamento é uma ilha". Nosso modo de pensar, Heschel nos lembra, é afetado por nosso modo de viver, por isso "pensar é o resumo da verdade de nossa vida". A busca deve tratar da vida, e não apenas da lógica. A procura do sentido da vida precisa ser a procura pessoal de uma resposta, e não ouvir por acaso o seminário de um filósofo debatendo o assunto. A vida examinada requer pensamento e vida — e pensamento exercitado em plena vida.

A busca, então, respeita plenamente a importância da razão. Mas a busca não pode ser efetuada somente pela razão, porque a razão tem limites. Na famosa imagem de Wittgenstein, filósofo de Cambridge, o desafio é "mostrar à mosca o caminho para sair da garrafa". A razão por si só fica zumbindo de um lado para o outro, batendo a cabeça contra os lados do problema, e acaba caindo derrotada. Ou, mudando a imagem, a razão treme nas altitudes elevadas onde as respostas mais profundas devem ser exploradas. A ideia de que a razão é tudo de que o investigador precisa é uma tolice no mesmo nível de um alpinista que parte para enfrentar o monte Everest e tenta escalar além do acampamento base sem um tanque de oxigênio.

O desafio de empenhar toda a vida também significa que, quando se trata da vida examinada, nenhum substituto é permitido, e esforços tíbios jamais terão sucesso. Cada um de nós precisa executar o trabalho. Precisamos pensar de modo que faça diferença e traga dividendos. Cada um de nós precisa iniciar a jornada, cada um de nós precisa empreender a investigação, e cada um de nós precisa explorar e chegar a conclusões próprias. Cada um de nós precisa seguir a verdade, aonde quer que ela leve. De que outra forma poderemos considerar o resultado de uma vida examinada e que é realmente nossa? Minha descrição não é mais do que um guia, um sistema de GPS ou uma série de placas para ajudá-lo ao longo do caminho, mas nenhum viajante confunde o GPS ou as placas com o destino que está buscando. Se eu não for claro ou se fizer com que você se desvie, pode me culpar, mas se você ou os outros não se esforçarem, a responsabilidade será de vocês.

Pensadores pensam com tudo

Em segundo lugar, este livro foi projetado para pessoas pensantes e, consequentemente, não para todos. Dizia-se que em uma fé claramente explicada um elefante poderia nadar e uma criança poderia patinar com segurança. Pessoas diferentes requerem níveis e estilos diferentes de explicação, então não é de surpreender que nem todos gostem de refletir sobre a vida como as pessoas pensantes gostam. E, de qualquer forma, nem todos os pensadores chegam a todas as suas conclusões por meio do pensamento. Certa vez compartilhei a tribuna com o guru da administração, Peter Drucker, um genuíno intelectual e sólido crente. Quando alguém da plateia lhe perguntou como ele havia chegado à sua fé, ele respondeu com um brilhante lampejo sobre o que teria levado à sua conversão: "Era a melhor oferta!".

Gostaria de deixar claro também que, quando digo que este livro foi escrito para pessoas pensantes, não é com a intenção de excluir pessoas, nem como bajulação. As pessoas pensantes enfrentam armadilhas específicas. Pensar pode fazer com que o indivíduo se sinta superior, e essa arrogância pode fazê-lo pensar que ele não tenha necessidades como as de outras pessoas. Na verdade, a vida examinada exige muito de nós. É inimiga de todas as convenções irrefletidas, de todos os clichês desgastados e de todas as conclusões precipitadas. Requer uma curiosidade e um tipo de pensamento criativo que está preparado para ver as coisas com novos olhos e pela primeira vez. E isso, por sua vez, requer três compromissos, não apenas um — um que as pessoas esperam e dois que as pessoas frequentemente omitem. A busca de uma vida examinada exige um firme domínio da *razão*, uma percepção honesta da *consciência*, e um sentido vivo de *deslumbramento*. Como Abraham Heschel observou: "O deslumbramento ou espanto radical, o estado de inadaptação às palavras e noções, é, portanto, um pré-requisito para a autêntica consciência daquilo que existe".

É por isso, aliás, que digo que este livro é mais para pensadores do que para intelectuais. Muitos dos chamados intelectuais pensam somente dentro de sua própria mente. Deixam a consciência fora da discussão, e perderam todo o sentido de deslumbramento. São pensadores de apenas uma ferramenta, que se devotam cegamente ao que pode ser descoberto pela razão, e somente pela razão. Como resultado, tornaram-se tão cegos quanto as toupeiras. O estudo abrangente feito por Paul Johnson das hipocrisias e fraquezas de intelectuais termina com o célebre alerta: "Cuidado com os intelectuais".

Para quem só sabe usar martelo, tudo é prego. Da mesma forma, para esses intelectuais, nada é real a não ser que seja provado pela razão e o método científico. Eles se esqueceram do quanto a própria razão e o método científico precisam fazer suposições, e com certeza se esqueceram da famosa réplica de Hamlet: "Há mais coisas no céu e na terra, Horácio, do que sonha a tua filosofia". Eles confundiram a vida examinada com conclusões acadêmicas limitadas, geralmente pesquisadas muitos anos antes, quando eram estudantes da pós-graduação. Seu pensamento maduro não vai além da torre de marfim, da poltrona e do pensamento que está na moda em seu gueto acadêmico, ainda que a maior parte da vida e da realidade esteja muito além disso.

Há muitas estradas para a busca pelo sentido da vida, e há muitas diferenças ao longo do caminho — não apenas em termos de diferentes afirmações sobre as descobertas, mas também de diferentes estilos de investigação. Várias pessoas, talvez mais do que nunca por causa das redes sociais, não confiam muito em sua capacidade de pensar por si mesmas. Contentam-se em aceitar as opiniões de outros e ir com a maré. Seu erro é confundir a vida examinada com as opiniões dos amigos e os resultados rápidos de uma busca na internet.

Em tempos em que se diz que sentido é para comediantes e loucos, e a própria fé é desprezada como ficção e muleta, a noção de uma vida examinada por uma pessoa pensante é ainda mais importante. Este livro é para aqueles que desejam pensar por si mesmos a fim de chegar a suas próprias convicções como conclusão de uma vida examinada em detalhe.

Cartas na mesa

Em terceiro lugar, ofereço essas orientações como alguém que chegou a suas próprias conclusões. Assim, não finjo ser totalmente imparcial e tenho muita consciência das limitações dos conselhos externos. A verdade é que este livro não é mais do que o equivalente a um folheto ou catálogo. Um folheto pode descrever um lugar ou um evento de modo atraente, mas o que importa é se a realidade corresponde às palavras. Se corresponde, o folheto pode ser usado e depois descartado. Serviu ao seu propósito. A realidade é o que importa, e as descrições prévias podem ser esquecidas. Da mesma forma, estas palavras, como todas as descrições de encontros importantes e experiências profundas, são, na melhor das hipóteses, algo incompleto. O investigador está à procura da realidade, e por mais força e precisão que tenham as palavras, elas apenas descrevem. Não chegam perto da realidade. Até as palavras mais poderosas e comoventes ficam a um passo de distância. Só a realidade é realidade, e as melhores, as mais belas e as mais comoventes palavras não são a realidade e nunca mais do que algo incompleto. O que chamamos de "a verdade" é sempre a verdade *sobre algo*. É a verdade *sobre a realidade*, e portanto *a realidade da realidade*, então os investigadores precisam descobrir a verdade e a realidade por si mesmos. Os melhores argumentos sempre devem apontar para além deles mesmos. A realidade, e não quaisquer palavras minhas ou de alguém mais, é o que importa no fim.

Além disso, não finjo ser imparcial e totalmente objetivo. Nenhum de nós é. Como indivíduos humanos, somos todos finitos. Sócrates, Platão, Aristóteles, Confúcio, Buda e o filósofo hindu Shankara talvez sejam bem mais inteligentes do que o resto de nós, mas não são menos subjetivos a seu modo. Todos nós vemos as coisas a partir de onde estamos. Isso significa simplesmente que falamos a partir de algum lugar. Não é possível para qualquer ser humano falar a partir de todos os lugares, tanto quanto não é possível falar a partir de lugar nenhum. Sem dúvida, no curso de nossa exploração, chegaremos a dois tipos diferentes de afirmações. Por um lado, religiões e visões do mundo como o hinduísmo, o budismo e o secularismo alegam basear-se apenas na reflexão humana. De modo profundo, cuidadoso e começando quase do zero, os seres humanos se esforçam para refletir sobre as questões da vida. Por outro lado, religiões e visões de mundo como o judaísmo, a fé cristã e o islamismo alegam basear-se em revelação também. Por definição, o primeiro grupo representa nada mais do que o melhor pensamento humano sobre essas questões, enquanto o último alega basear-se em uma revelação exterior à perspectiva puramente humana.

Tais alegações de revelação devem ser examinadas com o mais rigoroso escrutínio, em parte porque todas as alegações devem ser examinadas, mas também porque sua importância é óbvia. Se alguma alegação de ser uma revelação vinda de fora se comprova verdadeira, ela contém a promessa de mudar inteiramente o dilema humano, pois nos libertaria das limitações da finitude humana. Entretanto, se tal alegação é falsa, ela é perniciosa, porque seduz apenas para ludibriar.

Mas, por enquanto, não há como se esquivar e não reconhecer tal realidade. Falo e escrevo a partir de algum lugar, assim como todos nós. No meu caso, sou cristão, seguidor de Jesus, como qualquer um que conheça meus livros sabe bem. No entanto, sempre procurei ser o mais justo possível. Creio fervorosamente que as pessoas devam pensar por si mesmas e, portanto, creio na importância da liberdade de religião e consciência para pessoas de todas as fés. Um aspecto vital disso é o respeito pelo direito de as pessoas crerem no que creem, e um compromisso em descrever suas crenças de modo justo. É importante também o fato de que me lembro bem de minha própria busca, quando me aprofundei nas diversas opções possíveis. E, ao longo dos anos, não medi esforços para entrar em contato com aqueles de outras fés — inclusive conversando com ateus como Bertrand Russell, A. J. Ayer e Christopher Hitchens, e estudando com um guru no Sivananda Ashram em Rishikesh, na Índia.

Tentarei ser tão objetivo e justo quanto possível, mas cabe a você fazer ajustes em minhas perspectivas enquanto reflete nas questões por si mesmo. Minha finitude requer de mim tanto sinceridade quanto humildade, mas ela não isenta você da busca em si. Independentemente dos guias bons e maus que encontrarmos no caminho, cada um de nós ainda é responsável por chegar a suas próprias conclusões.

Os perigos na descrição

Em quarto lugar, esta descrição da busca de uma pessoa pensante pretende ser um guia útil para os investigadores, mas não se esqueça de que a própria descrição apresenta perigos. Para começar, ao esclarecer lentamente as quatro fases da jornada de uma pessoa pensante, corro o risco de fazê-la parecer trabalhosa, prosaica e também claramente definida.

E, ainda pior, uma receita ou uma fórmula. Na vida real, poucas pessoas pensam devagar, sistematicamente e na mesma velocidade cadenciada de A a Z. Às vezes nosso pensamento pode ser vagaroso e firme. Outras vezes, pode ficar atolado pelo que parecem ser séculos. Mas podemos também experimentar arrancos e dar saltos intuitivos que nos impelem em direção a percepções e conclusões no piscar de um segundo.

Edifícios altos se erguem gradualmente com os andares sendo construídos um de cada vez, e é legítimo descrevê-los lenta e metodicamente, da mesma forma como são construídos. Mas um elevador de alta velocidade pode passar por uma centena de andares tão rápido que o centésimo andar se parece com o segundo ou terceiro. E, da mesma forma, o pensamento de um investigador pode passar por certos estágios da procura com tal velocidade que parece que os estágios distintos não são importantes ou nem estão lá, embora sejam e estejam.

Dito de outro modo, tanto a força quanto a fraqueza de minha descrição estão no fato de que é uma generalização. Como generalização, é útil, porque é construída com base na experiência de muitas pessoas e não de apenas uma ou duas. Mas pode também ser inútil pela mesma razão. Baseando-se na experiência de muita gente, pode-se perder a singularidade de uma pessoa, de um indivíduo que é bastante diferente. Pior ainda, uma generalização sobre a jornada tende a soar como um processo ou uma técnica. Pode dar a falsa impressão de que se pode repetir o processo várias vezes e sempre ter a certeza de obter o mesmo resultado — como inserir uma moeda em uma máquina de venda automática e sempre receber uma barra de chocolate.

A busca, é claro, não é nada disso. Quando qualquer um de nós está no caminho e procurando, isso é o acontecimento único, a experiência nova e não familiar que nos impele para a frente. A experiência de Gautama Buda sob a árvore Bodhi no parque dos cervos de Varanasi, Moisés encontrando o arbusto que ardia em chamas mas não se consumia, e o confronto dramático de Saulo de Tarso na estrada para Damasco — todos esses foram eventos singulares, inéditos e não reproduzíveis, que acabaram sendo decisivos na jornada de cada um desses indivíduos. Em certo sentido, as experiências seguiram um padrão, mas apenas no sentido mais amplo. Para avaliar a plena significação das experiências é preciso fazer justiça a seu caráter único. O mesmo será verdade dos indicadores em sua jornada. Todos nós somos únicos, e nenhum de nós é mera cópia de algum outro.

Hora de começar

Chega, no entanto, de observações introdutórias. É hora de iniciar a descrição da busca em si. Então preciso lhe pedir que faça a si mesmo uma importante pergunta que será repetida várias vezes: *Onde você está?* Ou: Onde você está na vida? Você tem consciência de onde está na jornada da vida? Você quer levar uma vida examinada? Está pronto para começar? Já identificou possíveis distrações em sua vida? Já enfrentou a insensatez da barganha e a sedução do "mais tarde"? Está preparado para transformar sua vida naquilo que você colocará em jogo, e portanto para encarar e remover todo obstáculo e interferência que possa encontrar no caminho?

O pintor inglês Francis Bacon declarava que "os artistas permanecem muito mais próximos a sua infância do que as outras pessoas". Ele provavelmente incluiria poetas e músicos também, pessoas para quem a curiosidade e a criatividade são o que mais importa na vida. Mas a verdade é que há momentos em que quase todos nós nos aproximamos mais da infância do que Bacon avaliou. Basta que se faça a alguém um convite amigável do tipo "conte-me sua história" e então realmente se escute a resposta. Quando somos verdadeiramente escutados, sabemos que somos amados, respeitados e apreciados como pessoas. Quando somos amados e apreciados como pessoas, sentimo-nos à vontade para abrir o coração, encarar onde realmente estamos na estrada e nos conscientizar das questões candentes e da busca incansável que moram no coração de nossa vida.

Diz-se que o ator Marlon Brando, perto do fim da vida, declarou: "A vida é um mistério, e um que não pode ser solucionado. Você simplesmente atravessa a vida e, quando dá seu último suspiro, pergunta: 'Qual era o significado disso tudo?'". Que maneira triste de encerrar a vida, e que maneira triste de levar a vida. Este livro foi concebido para ajudá-lo a evitar essa conclusão melancólica. Irei descrever a busca de uma pessoa pensante pelo sentido, e confio que será uma conversa e não um monólogo. Então estou convidando-o para começar a responder imaginando-se agora em seu caixão, por assim dizer, contando sua história para si mesmo, ou para um amigo, e começando pela descrição de onde você está no caminho agora e do que está procurando.

Onde você está? A jornada de mil milhas, como dizem os chineses, começa com o primeiro passo.

4
Tudo começa com uma pergunta
Primeira fase: Tempo de perguntas

"Quando vamos falar da jornada em si?", você se pergunta. Tudo o que discutimos até agora foi introdutório. Eu falei sobre a ideia de busca, ou jornada, mas não falei nada sobre realmente começar. Tendo discutido o desafio da vida examinada, fomos em frente para ver os obstáculos que impedem as pessoas de pensar e se preocupar o suficiente a fim de explorar o sentido da vida. Tentei deixar claro o que pretendo fazer ao descrever a busca do investigador, e o que não estou tentando fazer — de modo que não haja quaisquer expectativas equivocadas.

Agora, no entanto, passaremos a uma questão de máxima importância. O que faz algumas pessoas pensarem e se importarem o bastante para iniciar tal busca, enquanto outras jamais chegam sequer a pensar nisso? O que impele o investigador à busca? Essa questão é vital se queremos entender a primeira das quatro maiores fases na jornada do investigador. A primeira fase da busca é um *tempo de perguntas*.

Permitam-me começar com uma história. Malcolm Muggeridge foi um dos mais célebres jornalistas e satiristas ingleses do século 20. Ninguém era mais impaciente com impostores, ninguém tinha o olho mais aguçado para o absurdo das pretensões humanas, e ninguém conseguia captar o vazio do festival das relações humanas como ele

— mas tudo com paixão pela verdade e sem uma migalha de cinismo. Como um biógrafo escreveu, e ele próprio reconheceu: "Muggeridge sempre sabia em que ele não acreditava antes de saber em que acreditava".

Muggeridge descreveu seus quatro anos na Universidade de Cambridge como "os mais fúteis e deploráveis de toda a minha vida". Três anos na Índia, talvez o país mais religioso do mundo, dilaceraram qualquer fé que ele tivesse na religião. Dois anos na Rússia de Stálin, para onde ele havia ido como um fervoroso jovem socialista utópico, deixaram seu idealismo político em ruínas. (Ele foi a primeira voz a relatar e denunciar os horrores da escassez provocada por Stálin que levou à fome mais de quatro milhões de pessoas entre 1922 e 1930.) Ele resumiu os "sombrios anos 1930" como "uma década que se iniciou com a ilusão de progresso sem lágrimas e terminou em uma realidade de lágrimas sem progresso". Lá se vão as respostas da educação, da religião e da política. Em poucos anos ele havia visto a realidade de todas elas.

O momento de virada para Muggeridge foi a noite em que ele tentou o suicídio. Rejeitado ao tentar se alistar no exército na Segunda Guerra Mundial, ele foi destacado para o serviço secreto, mas enviado para longe da ação e instruído a monitorar a marinha alemã na costa leste da África. Tudo lhe parecia completamente inútil, ou *fátuo*, como ele gostava de dizer. Certa noite, ele se deitou na cama afogado em álcool azedo e desespero, sozinho em casa, sozinho no mundo, sozinho no universo. Não tinha ninguém e nada a quem recorrer. De repente lhe ocorreu. Eram tempos de guerra, e ele não estava fazendo nada pelo esforço de guerra, mas havia pelo menos uma morte que ele podia, de forma útil, providenciar: a sua própria. "Decidi me matar."

Afastando-se nove quilômetros da pequena cidade moçambicana, ele encontrou uma praia deserta, tirou as roupas e entrou nas águas geladas e escuras. Mas, de repente, parou. Olhando para trás enquanto nadava, avistara as luzes na praia como nunca havia visto antes, e elas o fizeram parar. "Eram as luzes do mundo; eram as luzes de minha casa, meu lar, meu lugar. Eu precisava chegar até elas." Nadou de volta. Havia um lar. Havia esperança no mundo.

Teria sido isso uma experiência de conversão para Muggeridge? Ele teria zombado dessa ideia. Isso aconteceu anos antes de ele chegar a quaisquer conclusões satisfatórias sobre a vida. Mas aquela noite foi um divisor de águas, que ele descreveu como uma "profunda mudança" que anos mais tarde levaria a uma "transformação total". Suas palavras ecoavam a parábola de Platão da caverna. "Em um minúsculo calabouço do ego, acorrentado e algemado, eu vislumbrara um brilho de luz vindo por uma janela gradeada bem acima de mim." Tendo visto esse brilho de luz, ele estava agora absorvido em uma busca para seguir até onde ele o levaria. Algo o levara a agir repentina e intuitivamente — uma luta pela vida, pelo propósito, pelo lar. Agora ele precisava encontrar as razões para isso. Malcolm Muggeridge estava muito longe de ser crente em alguma coisa, mas se tornara um investigador. Existiria vida e luz do sol fora da caverna? Ele precisava descobrir por si mesmo, e a investigação iria começar.

Tudo está na pergunta

A primeira fase da grande busca é um tempo de perguntas. O investigador nasce quando a vida propõe uma pergunta que exige uma resposta, e uma pergunta que não pode ser respondida dentro do quadro de entendimento da pessoa. O investigador é, por conseguinte, impelido a investigar além do que já havia visto ou pensado antes. A pergunta cria o investigador. Cria a consciência de um problema que exige uma resposta. Não meramente questionadas, mas chamadas a responder, as pessoas, de algum modo, sabem em seu coração que são responsáveis por responder à pergunta e resolver o problema que as está confrontando. Elas estão sendo abordadas como seres humanos que são tanto capazes de responder quanto incapazes de ignorar o desafio a responder. É o próprio ímpeto e a intensidade da pergunta e do problema que criam e constituem o investigador.

Perguntas e questionamentos são fundamentais para a procura de sentido, tanto que, sem eles, não haveria busca. Uma das maiores razões pelas quais tanta gente está levando uma vida não examinada é que tão poucas pessoas se fazem perguntas. Elas acreditam que têm todas as respostas de que necessitam, mas respostas sem perguntas por trás são desprovidas de sentido, criatividade e vida. Familiaridade gera desatenção, e hábitos e convenções geram clichês e acomodação. Muitas pessoas se contentam em ser como proprietários de terras vivendo da renda oriunda das ideias que adquiriram quando eram mais jovens, ou que foram herdadas dos pais e dos ancestrais. Depois de algum tempo, essas respostas envelhecidas as entediam e, no fim, as traem. Respostas são desprovidas de vida a não ser que respondam a perguntas reais e resolvam problemas genuínos.

Sócrates era chamado de a mosca de Atenas por uma razão. A vida examinada que ele defendia era a que ele próprio levava. Era uma vida investigada por meio de constante autoquestionamento e constante interrogação aos outros. A filosofia é a arte de pensar sobre pensar, e começa com fazer perguntas. Os melhores filósofos são os mais talentosos na arte de fazer as melhores perguntas. Perguntar e questionar não são apenas parte da primeira fase da busca, mas criam e constituem a primeira fase, iniciam a investigação e são fundamentais para o resultado. Remova o empurrão fornecido pelas perguntas e a busca em si se esvazia como um balão furado, reduz-se a pouco mais do que o passeio de um intelectual no parque ou um jogo de xadrez de teorias em competição. Há duas perguntas, então, para cada um de nós: Estamos fazendo perguntas? E estamos fazendo as perguntas certas?

Permitam-me sublinhar a importância das perguntas. Em primeiro lugar, todo o resultado da busca é moldado pela natureza das perguntas nesta primeira fase, em parte pela orientação da pergunta e em parte por sua intensidade. A óbvia e inescapável verdade é que aqueles que não fazem perguntas estão satisfeitos em ficar do jeito que estão. Eles não são investigadores, e provavelmente nunca serão. Em forte contraste, a experiência mostra que o caráter da busca é moldado pela orientação e força de uma pergunta específica que tenha sido feita. E a força da pergunta brota de sua capacidade de dirigir à pessoa como um todo um desafio do qual ela sabe que não deve se esquivar. Sua integridade depende da resposta à pergunta — e esta será respondida. Nesse sentido, uma pergunta é uma resposta na forma de semente, ou uma pergunta com a poderosa alusão a uma pista sobre qual deve ser a resposta final para ser satisfatória.

Perguntas variam em potência e impacto. No nível mais baixo, algumas perguntas nunca se elevam mais alto do que a um nível puramente intelectual. Se elas suscitam a atenção por um instante, é apenas por meio da curiosidade. Esse é o tipo mais fraco de pergunta, que produz o tipo mais fraco de investigador. A mera curiosidade não levará um investigador muito longe. Perguntas desse tipo levam a uma pesquisa, e as pessoas podem ficar curiosas ou não, e esse é o fim de tudo. Mas, por outro lado, à medida que as perguntas crescem em força, exercem o efeito de envolver a pessoa como um todo, especialmente quando o fazem em uma situação concreta. Quando isso acontece, a potência da pergunta desloca a pessoa do nível de curiosidade intelectual para o nível de um problema concreto que exige uma solução concreta.

Tomemos um exemplo mais ou menos geral. A tão debatida pergunta tradicional "O que é o ser humano?" será respondida de um modo quando feita em sala de aula, e há numerosos livros bastante tediosos que foram publicados como registros das respostas. Mas a mesma pergunta pode ser respondida de outro modo quando feita por aqueles conscientes de que nós, humanos, vivemos hoje numa era pós-Auschwitz, pós-Hiroshima e pré-Singularidade tecnológica. O que esses acontecimentos titânicos dizem de nós como seres humanos? Há uma diferença entre "um ser humano" e "ser um humano"? Muitas vezes, o efeito prático é trocar a pergunta de "O que é o ser humano?" para "Quem é humano?" e depois para "Quem somos nós?" e "Quem sou eu?" — sabendo que as pessoas que realizaram esses atos inimagináveis, em perversidades como os campos de extermínio, pertencem à mesma espécie que nós, como você e eu.

O mesmo pode acontecer com as perguntas em nível pessoal. De repente, uma pergunta pode fazer com que nos detenhamos. Talvez a tenhamos ouvido mil vezes antes, mas desta vez é diferente. É como se o tamanho da fonte da pergunta houvesse de repente aumentado mil vezes, e seu volume houvesse sido amplificado com uma intensidade e um sentido que jamais sonhamos que poderia ter. Nesse nível, a pergunta desperta uma série de outras perguntas, e nos deixa sem fôlego. Todas as maneiras anteriores de olhar para ela, inclusive as palavras para descrevê-la, são estilhaçadas em sua insuficiência. Mas o que a pergunta significa? Estamos olhando para dentro de um abismo de falta de sentido que não fornece respostas para as perguntas humanas? Ou será que tivemos um vislumbre de percepção do mistério do próprio sentido da vida? No nível mais alto, é assim que a pergunta faz o investigador estremecer como se ele houvesse sido atingido por um raio, e o impele à busca. A pergunta levanta uma questão tão profunda que a pessoa como um todo é posta em questão, e nasce o investigador. Se a pergunta também desafia o que é de extrema importância para tudo em que a pessoa acreditava até então, seu potencial subversivo é ainda mais perturbador, até revolucionário. O investigador então necessita do sentido que não sabia previamente que era necessário e que evidentemente não consegue encontrar. Nosso sentido como seres humanos de repente nos transcende, e os investigadores precisam procurar para além deles mesmos e pensar de maneiras mais profundas e elevadas do que já haviam tido de fazer antes.

Hesito com frequência em usar o termo *buscar* hoje em dia, pois ele é usado de modo demasiado e muitas vezes distorcido. A palavra geralmente é usada de um jeito bastante prosaico, como outra palavra para descrever uma atividade de pessoas descompromissadas e sem propósito — assim como "zapear" referindo-se à mudança constante do canal de televisão ou o comportamento daqueles que ficam percorrendo as lojas de *shopping centers*, eventualmente comprando alguma coisa. Usada dessa forma, a busca se refere simplesmente a um "navegar" pela vida à procura de qualquer coisa que possa capturar o olhar itinerante da pessoa. Essa busca incidental raramente indica algo em particular — está aberta a qualquer coisa e tudo. Os verdadeiros investigadores são bem diferentes. Ao conhecê-los, pode-se sentir a seriedade e intensidade de sua procura. Os investigadores são pessoas para quem a vida em si, ou uma parte da vida, de repente se tornou um enigma, uma pergunta, um problema, uma provocação. Os investigadores são abertos, mas não de um jeito vago e vazio. Eles têm uma pergunta. Esta requer ou exige algo deles, e eles sentem a necessidade de responder. É esse sentido sério de *busca* e *investigador* que usaremos neste livro.

Apenas uma muleta?

Em terceiro lugar, você notou aquelas três palavrinhas, "necessidade de responder"? Nós as empregamos com grande cuidado, porque elas, também, são facilmente distorcidas. Então vamos esclarecer esse mal-entendido de uma vez. O papel da "necessidade" na busca muitas vezes faz com que as pessoas tropecem no início. A menos que tomemos cuidado, alguém inevitavelmente levantará uma objeção psicológica. "Ah, aí vem você de novo", um crítico freudiano talvez diga. "Você está agindo exatamente como imaginei. Está começando com uma pergunta e uma necessidade, assim como disse o grande psicanalista. Mas, por trás de toda essa conversa fantasiosa de jornada, o que você está mostrando é que as pessoas passam a crer porque têm necessidade de crer — e isso expõe o que fé e sentido de fato são. Fé e sentido são simplesmente uma muleta, uma projeção, ou uma questão de realização dos desejos para pessoas carentes." As pessoas pensantes, segundo essa objeção, são tão carentes quanto todas as demais, e sua fé é simplesmente uma forma mais sofisticada de muleta, e não menos irracional.

Ora, vamos com calma. Freud e seus amigos contemporâneos se intrometeram na discussão cedo demais. (Na verdade, frequentemente eles se intrometem tão rápido que, ao fazê-lo, traem sua própria necessidade de descrer.) A verdade é que, nesse estágio, ninguém crê em nada. As perguntas e a necessidade de responder não criam a fé por si mesmas. Ninguém crê por causa de perguntas e necessidades. Céticos como os freudianos entenderam errado. A lógica da primeira fase da busca é que perguntas e necessidades fazem as pessoas descrer, não crer. *Por causa da pergunta formulada, elas agora não conseguem mais acreditar no que acreditavam antes, porque aquilo em que costumavam acreditar não responde mais a suas perguntas.* As perguntas as levam a se tornar investigadoras, e em seguida a necessidade de responder as impele à procura de respostas. O investigador é o crente transformado em descrente que agora procura uma resposta melhor e mais segura. Por enquanto, isso é tudo. Até este ponto, não há resposta no quadro, apenas uma pergunta.

Talvez um investigador procure e encontre uma resposta em minutos. Talvez procure durante anos. Talvez recorra a uma resposta que outros considerem louca ou errada. E talvez jamais encontre qualquer resposta e simplesmente desista da procura. Existem incontáveis possibilidades. Mas, por mais longa ou curta que seja sua procura — quer ele seja bem-sucedido, quer falhe, seja em que for que acabe vindo a crer ou não crer —, ela virá em um estágio posterior da busca e por diferentes razões. O que importa aqui é ver que a procura como um todo foi desencadeada por uma pergunta, e que a pergunta criou o investigador.

Arthur Koestler, o cientista e escritor húngaro, era, como Malcolm Muggeridge, alguém para quem os acontecimentos negativos chegaram primeiro e o tornaram um investigador voraz. "Eu havia cantado 'Deus abençoe os húngaros' e tinha visto a derrota de meu país. Havia vibrado com a República Democrática de Károlyi e a tinha visto desmoronar; havia me identificado com a Comuna dos Cem Dias e a tinha visto ser arrasada. Eu tinha vivido em um assentamento comunitário, vendido limonada e dirigido uma agência de notícias. Havia mendigado e quase morrido de fome. Havia visto minha família se arruinar. Havia fugido para passar inúmeras noites com prostitutas e em bordéis; e havia adquirido suficiente conhecimento sobre a política francesa para ficar enojado para sempre".

Em suma, Arthur Koestler descreve como ele havia percorrido toda a gama de opções em seu país em seu tempo. Sua amiga de infância Eva Striker o descreveu como "o mais infeliz de todos nós", e um repórter acrescentou: "E também o mais ávido por uma nova fé". Como Muggeridge, Koestler conhecia bem aquilo em que desacreditava, e estava ardentemente em busca de respostas. Tristemente, nunca encontrou aquilo que procurava, e sua busca se interrompeu abruptamente quando se suicidou em um pacto com a esposa, Cynthia. Longe de ser uma muleta, simples ou sofisticada, a busca é indeterminada e contém um risco. Pode ser bem-sucedida ou falhar, mas o que importa neste estágio é que a investigação começa com uma pergunta.

Apenas má-fé?

A objeção psicológica se tornou uma acusação comum, desferida como uma resposta automática a qualquer menção à fé, como se toda fé fosse essencialmente "má-fé" — termo de Jean-Paul Sartre para a fé em que se crê apenas pela necessidade de crer em algo. Assim, vale a pena enfatizar com firmeza: nesta fase da busca, a teoria da "muleta e realização de desejos" não passa de uma pista falsa, embora seja danosa em suas consequências. Ela silencia qualquer fé que possa surgir na busca, e solapa a própria ideia de fé como uma resposta por meio da acusação de que toda fé é fraudulenta.

Para aqueles que levam a vida examinada a sério, a objeção de má-fé é ilegítima. Não há nenhuma sugestão de necessidade de criar fé, de fé como muleta ou projeção à *la* Freud, ou de fé como ópio e flores nos grilhões dos oprimidos à *la* Marx. Para o pensador em busca da vida examinada, existe apenas uma razão final para crer em qualquer resposta em potencial, e é estar convencido de que ela é verdadeira, objetivamente verdadeira — um problema que é levantado em um estágio posterior da investigação. A questão ou questões levantadas na primeira fase desencadeiam descrença em vez de crença. O centro de sua investida é a pergunta que constitui e impulsiona o investigador, e ainda não há respostas, soluções ou crenças a serem consideradas. Há apenas a pergunta.

Órfãos e anões

A verdade é que nosso dilema moderno é o exato oposto do que a objeção sugere, e devemos ter a honestidade de desafiar tal ceticismo. Somos uma geração de órfãos e anões espirituais — órfãos porque fomos excluídos das ricas conversas de nossos ancestrais, e anões porque também acabamos ficando espiritualmente e intelectualmente atrofiados, e com medo de fazer perguntas pelo receio de respostas falsas. É preciso admitir que o fato de sermos humanos e termos necessidades significa que sempre corremos o risco de aceitar respostas falsas, da mesma forma como, em uma sociedade de consumo, sempre deparamos com o perigo de acreditar em anúncios que apelam a falsas necessidades. Porém, dito isso, devemos reconhecer os problemas, levantar perguntas sérias e encarar as necessidades genuínas se queremos encontrar soluções sólidas e satisfatórias. A vida é um mistério; a vida apresenta problemas; as necessidades e temores humanos não são todos irracionais. Um dos maiores problemas contemporâneos é a miopia daqueles que são tímidos demais para levantar problemas fundamentais e não ousam fazer as grandes perguntas.

Apenas os ignorantes e idiotas não têm problemas. Apesar disso, muitas pessoas no mundo atual têm-se deixado ofuscar por seu próprio brilho, fascinadas pelos avanços tecnológicos e encantadas por seus entretenimentos. Elas não têm problemas fundamentais. Vivem como se tivessem respostas para tudo, e tudo o que precisa ser mudado fosse uma questão de ajustes menores: uma dieta melhor, um programa mais inteligente de ginástica, uma melhoria no PIB ou uma mudança no atual governo.

Seduzidas pela ilusão de utensílios que proporcionam conforto, as sociedades modernas estão marchando em frente e tateando em torno, ignorantes às grandes questões na vida e cegas aos grandiosos problemas que se avolumam tanto interna quanto externamente. Para qualquer um consciente do fato de que, como já escrevi, nos encontramos em um período pós-Auschwitz, pós-Hiroshima e pré-Singularidade, é claro que a humanidade está agora se questionando como nunca antes na história. Em um momento como esse, é imperativo propor as grandes questões, os problemas fundamentais e as necessidades humanas mais profundas. É claro que encontraremos falsificações e ouro de tolo nas várias respostas que nos dão, mas aqueles que não veem pontos de interrogação candentes no horizonte já estão vivendo em um falso paraíso.

O animal que não para de perguntar

Para entender por que um tempo de perguntas pode ser tão subversivo e perturbador, precisamos tão somente nos lembrar da importância de sentido e integração em nossa vida — a noção de sentido, a segurança de sentir que faz parte de algo e a narrativa de nossa vida de que falamos na introdução. A necessidade fundamental de fé e sentido é tão inevitável, apesar de normal, que uma pergunta lançada contra ela pode ser literalmente dilacerante, e o início de uma revolução na vida de um investigador. Entretanto, seja grande ou pequena, penetrante ou meramente incômoda, a pergunta é o que desencadeia a busca.

Nós humanos somos uma forma de vida única neste planeta. Somos a única espécie que pergunta por quê. Temos autoconsciência em um grau que nenhum outro animal parece ter, porém sabemos também que estamos em um mundo que não se explica a si mesmo. Então somos instados a perguntar como as coisas vieram a ser o que são, e como nos encaixamos nisso. Por que, de toda a rica profusão de criaturas neste mundo, nós somos os únicos que somos tanto um problema quanto uma perplexidade para nós mesmos? É fácil dizer o que não somos — qualquer um que alegue ser Alexandre o Grande ou uma alcachofra se transformará rapidamente em candidato ao hospício. Mas, de certo modo, não é tão fácil dizer o que somos. Somos apenas animais ou máquinas, ou somos mais do que isso? E, caso sejamos mais, o que é esse mais? Devemos nos definir de modo rebaixado como "o macaco nu" ou "o gene egoísta" ou, de modo mais elevado, como divinos, feitos à imagem de Deus? Lá no fundo sabemos que "a verdade nua e crua da questão" muitas vezes não é o fim da questão. Mesmo quando sabemos como, ainda nos perguntamos por quê. Assim, buscamos uma explicação mais profunda, uma fonte de sentido mais plena e definitiva que vá tão longe quanto consigamos ir, uma resposta final que possa abranger mais de nossas perguntas do que qualquer outra.

As perguntas fundamentais para a humanidade foram propostas de modo diferente por povos diferentes. Immanuel Kant, o maior dos filósofos do Iluminismo, resumiu as quatro grandes questões que desafiam nosso pensamento: "O que podemos conhecer?", "O que devemos fazer?", "O que podemos esperar?" e "Quem é o ser humano?". O pintor francês Paul Gauguin reduziu-as a três: "De onde viemos?", "O que somos?" e "Para onde estamos indo?". George Steiner, o crítico literário, nos definiu como seres humanos de modo simples: "Mais do que *homo sapiens*, nós somos *homo quaerens*, o animal que não para de perguntar".

Naturalmente, podemos perguntar se questões como essas têm alguma resposta. Alguns se indagarão se são questões legítimas ou se são absurdas, pairando sem resposta no vasto e imenso universo. Mas é precisamente para nos ajudar a resolver tais perguntas que adotamos uma filosofia ou visão de vida, uma concepção de mundo, uma fé, quer estejamos conscientes disso, quer não. Essa fé ou concepção de mundo é essencial e vital para nós. Ela constitui a narrativa, roteiro ou lente com que interpretamos todas as experiências da vida. Ela determina como vemos a realidade, o que consideramos verdadeiro, como entendemos nossa própria identidade, como decidimos os problemas de moralidade e como justificamos colocar filhos e filhas no mundo com confiança. É nossa fonte de sentido, integração e narrativa.

A maioria das pessoas não tem consciência de sua visão de mundo porque, na maior parte do tempo, as visões de mundo são inconscientes. Nós simplesmente as assumimos e vivemos com elas assim como fazemos com nossa saúde — a não ser que, como nossa saúde, elas entrem em colapso. Mas, mesmo quando não as vemos, vemos através delas. Elas não são necessariamente aquilo em que dizemos que acreditamos, mas o que mostramos acreditar com nosso comportamento. Na prática, derivamos nossas visões de mundo de múltiplas fontes, não só de nosso próprio pensamento — de nossos pais, nossa educação, nossa formação cultural, nossas experiências de vida e nossas descobertas. Mas, apesar de toda a espantosa diversidade de visões de mundo globalmente, os modos como vemos a vida são fundamentais e necessários a cada um de nós, porque são a fonte de nossa noção de sentido e integração. Pode-se dizer que, para cada um de nós, eles são nosso mundo dentro do mundo, e fazem uma enorme diferença.

Não é de surpreender que, assim como há escarnecedores que zombam da ideia de sentido da vida, há também cínicos que gostam de zombar das visões de mundo de outros. "Tire-se a mentira vital da pessoa comum e se estará tirando sua felicidade", escreveu, cinicamente, o dramaturgo norueguês Henrik Ibsen. Talvez ele tenha se esquecido de que essa tirada esperta era um bumerangue que voltava para ele e atingia sua visão de mundo também. Se as crenças das pessoas comuns eram uma mentira vital, por que a sua seria uma exceção? Muitos outros são mais humildes e mais tolerantes. Eles reconhecem que visões de mundo são essenciais e vitais para todos. Platão aconselhava as pessoas a recolherem as melhores ideias da humanidade e "que essas sejam o barco no qual se navega pela vida". Aldous Huxley, autor de *Admirável mundo novo*, reconhecia que sua visão de mundo era como uma caverna que ele havia escavado na escuridão ilimitada do universo para ser um abrigo contra as tempestades da vida — uma franca admissão de que sua fé foi criada por suas necessidades e para suas necessidades.

Nossas filosofias de vida podem ser muito diferentes — algumas são altamente sofisticadas e outras simples, muitas são religiosas e outras seculares, a maioria é inconsciente e algumas altamente reflexivas, algumas são crenças de um pequeno número de pessoas e outras são crenças de uma maioria esmagadora de pessoas em uma nação ou outra. Mas, sejam quais forem as diferenças, nossas crenças e nossas visões de mundo são crucialmente importantes para cada um de nós. É por isso que colocá-las em dúvida pode ser tão sério e tão perturbador. Acordamos todas as manhãs para viver outro dia, e nossa necessidade de sentido é tão constante quanto a necessidade de respirar. Mas... e se o que todos nós pensamos ser verdadeiro for apenas uma ilusão e correr atrás do vento? E se tivermos de abandonar o conforto de uma antiga certeza e sair à procura de algo mais sólido e satisfatório? Esse é o desafio posto quando uma pergunta irrompe para marcar a primeira fase da busca do investigador, e é por isso que tal pergunta pode ser instigante, mas geralmente é profundamente desconfortável.

5
Dando início à jornada

Se uma pergunta cria e constitui um investigador, impulsionando a primeira fase vital da busca, precisamos sondar um pouco mais a fundo. Como, na verdade, as perguntas colocam em questão a vida e o pensamento da pessoa, e como impulsionam a busca de uma resposta que seja melhor? Para algumas pessoas, o choque que dá início à jornada pode ser dramático e intenso, como na história da tentativa de suicídio de Malcolm Muggeridge. Para Sidarta Gautama, o príncipe do Nepal que viria se tornar o Buda, suas perguntas e sua busca começaram, celebremente, em um passeio de carruagem. Como diz a lenda, ele encontrou um homem doente, um velho e um morto. Essas mensagens brutas do infortúnio humano destruíram as ilusões do mundo de privilégios do jovem mimado criado pelo poder régio do pai e o levaram a sair em sua célebre busca, que se encerrou sob a árvore Bodhi no parque de cervos em Varanasi.

Para Liev Tolstói foi o duplo choque da morte do irmão e a visão de uma guilhotina. Para Alfred Nobel, o rei da pólvora, foi o choque de ler seu próprio obituário em um jornal francês em 1888. (Houve um erro. Na verdade, fora seu irmão Ludwig que morrera, mas Nobel ficou horrorizado ao ler "O Mercador da Morte morreu. O dr. Alfred Nobel, que enriqueceu encontrando formas de matar as pessoas mais rápido do que nunca, morreu ontem".) Para Alexander Soljenítsin foi a brutalidade do mal escancarada pelo Gulag soviético — impossível de negar, mas perpassando todo coração humano. Poucas pessoas sentiram esse abalo e o descreveram mais intensamente do que Agostinho de Hipona: "Trazia dentro de mim uma alma estraçalhada e ensanguentada, que eu não conseguia controlar nem descobrir onde pousar".

Para muitos outros, as perguntas afloraram em sua vida mais tranquilamente, porém de modo insistente. Inúmeras vezes pessoas famosas e bem-sucedidas me contaram que sabiam que o sucesso jamais seria o bastante. Devia haver algo mais na vida. Líderes políticos poderosos, célebres diretores de empresas, atletas que ganharam medalhas de ouro olímpicas, famosos âncoras de televisão — todos confessaram que sabiam, no fundo do coração, que devia haver algo mais.

Charles Handy, irlandês radicado na Inglaterra e eminente consultor de gestão, fez um comovente relato de sua experiência no funeral do pai. De repente ele tomou consciência de que o pai, um homem simples, havia afetado a vida de centenas de pessoas de formas como ele jamais imaginara e jamais conseguiria esperar alcançar pelo modo como ele próprio estava vivendo. "Até aquele momento, eu havia depositado minha fé no sucesso, no dinheiro e na família, provavelmente nessa ordem. Ainda achava que essas coisas eram importantes. Mesmo que agora eu quisesse inverter a ordem, desejava um sistema mais amplo onde colocá-las." Como incontáveis homens e mulheres antes dele, Handy de repente viu a diferença entre o que David Brooks chama de o "eu do currículo" e o "eu do elogio fúnebre". O mero sucesso não bastava. As pessoas forçadas a pensar mais a fundo são impelidas a se tornar investigadores e a buscar mais profundamente as respostas a suas perguntas.

Histórias como essas mostram o número infinito de formas pelas quais investigadores iniciam a jornada. Provavelmente há tantas formas quanto investigadores que iniciam. Ao mesmo tempo, não há dúvida de que algumas formas são mais comuns do que outras. Em minha experiência, três ocorrem com mais frequência do que quaisquer outras.

Como visões de mundo são destroçadas

Uma forma comum pela qual muita gente é lançada na busca é por meio das transições e fases da vida humana. Cada fase da vida apresenta oportunidades, desafios e crises especiais — da juventude à velhice. Os anos que vão do décimo oitavo ao vigésimo quinto, que costumavam ser chamados de Grande Sete, são especialmente cruciais. Esses são os anos principais, em que a maioria das pessoas reflete sobre muitas das grandes decisões da vida: quem elas são, que carreira escolherão, com que parceiro se casarão e qual fé e visão de mundo devem ser a base e guia de vida para elas e a futura família.

Outra forma pela qual as pessoas são lançadas à busca é por meio do que Alexander Soljenítsin chamava de "pé-de-cabra dos acontecimentos" — os grandes acontecimentos da história e seu impacto em nossa vida e pensamento. Quando eu era estudante, os marxistas eram proeminentes na maioria das universidades europeias, e extremamente agressivos nos debates. Eles acreditavam que estavam no lado certo da história e, nas palavras de Nikita Kruschev, iam enterrar o resto de nós. Com uma atitude como essa, os marxistas podiam se permitir não apenas terem dificuldade de captar nuanças, mas serem absolutamente fechados a qualquer tipo de argumento. Mas o que as palavras não puderam fazer, a história deixou bem claro com sua lógica brutal e devastadora: o terror da fome promovido na Ucrânia por Stálin, o Gulag soviético, a Revolução Cultural de Mao, os campos de execução de Pol Pot e finalmente, em 1991, o colapso da União Soviética. De repente o poder brutal do marxismo parecia uma aldeia de Potemkin que "o vento levou".

O marxismo não desapareceu completamente, é claro. Ainda governa a China, o país mais populoso do mundo, e, em sua forma neomarxista ou marxista cultural, está fazendo grandes incursões no Ocidente. Apesar de todas as falhas filosóficas e crimes morais, a sedução do marxismo provavelmente nunca se apagará inteiramente enquanto a injustiça e as desigualdades ainda acometerem este mundo. Mas os jovens de hoje são mais facilmente atraídos pelo marxismo cultural e pela teoria crítica, em vez de pelo marxismo clássico. A revolução política de Lênin e Stálin se transformou na revolução sexual mais maleável de Wilhelm Reich e Hugh Hefner — uma revolução no quarto de dormir exige muito menos do que uma revolução nas barricadas. Mas a história costuma desafiar todas as ideologias grandiosas, e a história não aceita questionamentos. O pé-de-cabra dos acontecimentos pode atacar súbita e terrivelmente.

Sinais de transcendência

A terceira forma — para mim, a mais interessante — pela qual muita gente é impelida à busca é por meio de experiências pessoais na vida. O cientista social Peter Berger descreveu esses encontros como sinais de transcendência.

Em seu pequeno clássico *Um rumor de anjos*, Berger explica que um sinal de transcendência é uma experiência em nosso mundo do dia a dia que nos chama atenção e exige uma explicação. Ao fazê-lo, parece apontar para uma realidade mais elevada além do aqui e agora. Aonde o sinal conduz e o que essa realidade mais elevada pode ser é algo desconhecido e irrelevante no momento em que o sinal é ouvido pela primeira vez.

Será que a lógica da experiência e o sinal se aproximam da noção hindu e budista da base impessoal de todo ser? Será que aponta para a realidade judaica e cristã de Deus como o sentido por trás de todo o mistério? Será que a aparente transcendência do sinal é apenas uma ilusão e que não há nada além do aqui e agora, como alegam os ateus? Ou poderia o sinal estar sugerindo que estruturamos a grande busca de modo errado quando definimos a vida examinada simplesmente como algo que podemos entender sozinhos e por meio de nosso próprio raciocínio? Será que estamos preparados para as consequências se a busca mostrar ser não tanto uma noção de estilo grego da procura humana de Deus (a grande ascensão), mas uma compreensão de estilo judaico da procura de Deus pelos humanos (a grande descida)?

As respostas a todas essas diferentes possibilidades precisam esperar. Tudo o que importa nesta fase da busca é ver que, quando as perguntas mais profundas surgem, os investigadores se dão conta de que não são suficientes como sua própria fonte de sentido. Se eles precisam de uma resposta mais profunda, terão de procurar além do que creem a essa altura em sua vida e se abrir a explorar o que puderem encontrar. Terão de se superar e arriscar todo o conforto e comodismo para chegar lá. Terão de seguir os sinais e ver aonde eles levam. Como Heschel escreve: "Não saímos da margem do conhecido à procura de aventura ou suspense, ou por causa do fracasso da razão em responder a nossas perguntas. Navegamos porque nossa mente é como uma concha fantástica e, quando aproximamos o ouvido de sua abertura, escutamos o murmúrio perpétuo das ondas para além da margem".

Tal experiência na vida age como um catalisador. Emite um alarme como um sinal, impelindo o investigador a transcender seu estado atual de consciência. Observe que o sinal é um som. As pistas ao longo da jornada são frequentemente descritas em termos visuais, como uma placa de trânsito, por exemplo. Essa é uma imagem perfeita para nosso mundo avassaladoramente visual, com expressões comuns para o pensamento, como *vislumbre*, *previsão* e *visão retrospectiva*, relacionadas a aspectos visuais. Uma placa requer apenas um olho e um olhar, enquanto um sinal requer um ouvido e uma escuta atenta — muito mais ativa, muito mais empenhada e muito mais capaz de discernir o sentido das coisas por baixo da aparência e do ruído.

O sinal de transcendência carrega seu próprio equivalente da ação dupla das perguntas que mencionei anteriormente. A experiência é um sinal porque representa tanto uma contradição quanto um desejo. Como uma contradição, ela rompe o alcance limitado do mundo do aqui e agora e solapa a adequação do que a pessoa acredita até essa altura. E, como um desejo, ela aponta para algo novo. Desperta um anseio por algo mais seguro e mais rico. Juntos, o poder da contradição e do desejo, o romper e o apontar, agem para impelir a pessoa a se transformar em investigador.

Um buraco rasgado na vida

O escultor suíço Alberto Giacometti descreveu tais experiências como um "buraco rasgado na vida", depois do qual a vida nunca mais é a mesma. Para ele, foi a morte de um amigo. Mas seria errado pensar que tais experiências são sempre negativas, e ainda mais errado pensar que se relacionem à morte. Para Fiódor Dostoiévski, a experiência foi totalmente positiva — a felicidade e surpresa extáticas que sentiu diante da maravilha da existência depois do adiamento no último minuto de sua execução agendada em São Petersburgo em 1849. "Não consigo me lembrar de já ter me sentido tão feliz quanto me senti naquele dia", ele escreveu mais tarde. Ou, como escreveu a seu irmão Mikhail: "Quando me lembro do passado e penso em quanto tempo perdi em vão, quanto tempo perdi em futilidades, erros, ociosidade, incapacidade de viver; como deixei de apreciá-lo, quantas vezes pequei contra meu coração e alma — então meu coração sangra. A vida é uma dádiva. A vida é felicidade, cada minuto pode ser uma eternidade de felicidade! *Si la jeunesse savait* [Se a juventude soubesse]".

Peter Berger explora o que ele chama de gestos humanos prototípicos, do riso ao julgamento, e mostra como cada um deles age como um poderoso "sinal de transcendência". Outros usaram termos diferentes para descrever experiências semelhantes — a "eternidade no coração humano" da Bíblia, o momento de "eureca" de Arquimedes, o "ver através dos olhos" (e não meramente com os olhos) de William Blake, os "prenúncios de imortalidade" de William Wordsworth, os "buracos rasgados na vida" de Giacometti, o "espanto radical" de Abraham Heschel.

Cada experiência é diferente, mas elas apresentam duas coisas em comum.

Primeiro, os sinais *perfuram* a consciência anterior de alguém, rompendo as fronteiras do que essa pessoa considera serem os contornos e limites da realidade. Em segundo lugar, *apontam* para algo além daquela realidade anterior, algo atraente que, caso se descubra ser verdadeiro, mudaria tudo. Tais sinais de transcendência, ou experiências de algo mais, são bem mais comuns do que normalmente percebemos ou admitimos. A vida, se apenas a observássemos mais atentamente, propõe avisos, setas, pistas, sugestões, epifanias, tudo isso exclamando que nosso mundo do aqui e agora simplesmente não é tudo o que existe. Há uma realidade além da imediata que nos chama rumo a um sentido mais profundo e definitivo das coisas, qualquer que possa ser.

Ao fazê-lo, os sinais de transcendência armam um prolongado e decidido protesto contra duas características comuns do mundo moderno. Eles afastam para segundo plano as diversões dos entretenimentos confortáveis da sociedade de consumo, e então rompem os limites da miopia de nosso mundo sem janelas e sem maravilhamento que proíbe qualquer afirmação de que a realidade vai além do alcance dos cinco sentidos. Vivemos em um "mundo sem janelas", Peter Berger escreveu. A visão de realidade da maioria das pessoas, observou G. K. Chesterton, é como a de um homem de meia-idade levemente sonolento depois de um farto almoço.

Em contraste com as barras acolchoadas dessa cela artificial e seus presidiários espiritualmente atrofiados e filosoficamente algemados, as experiências que deflagram os sinais acionam o alarme. Levantam perguntas, criam perplexidade, incitam espanto, provocam admiração, extraem percepções e, de maneira geral, operam no sentido de abrir a compreensão sufocada. É como se dissessem: Você não percebe, mas deve haver mais do que trêmulas sombras dentro da caverna. Deve haver um mundo ensolarado lá fora. Há uma possibilidade — não mais do que isso ainda — de um mundo de sentido mais elevado, profundo, amplo ao qual as perguntas nos chamam.

As histórias mais poderosas desses sinais são aquelas de pessoas reais na vida real. Suas experiências as impeliram à busca, a descrer no que costumavam crer e a sair à procura de algo mais seguro e mais satisfatório. Quando G. K. Chesterton estava na escola de artes, foi atraído pela tendência de sua época para um pessimismo sombrio, mas foi "interrompido em seu caminho por um dente-de-leão". Se havia uma resposta para o sentido da vida, teria de explicar a beleza no mundo assim como a óbvia destruição, a maravilha tanto quanto a podridão. W. H. Auden encontrou o mal perverso de Hitler e percebeu que, para combatê-lo, precisava mais do que seu sofisticado relativismo intelectual. Ele se tornou, em suas próprias palavras, um "investigador atrás de um absoluto incondicional". C. S. Lewis se tornou investigador quando foi sacudido de seu ateísmo anterior por meio de experiências que descreveu em termos de ser "surpreendido pela alegria". (Ele não deixou de notar o fato de que esses instantes fugazes de alegria transcendiam tanto o prazer quanto a felicidade. Cada um deles o obcecava como "um desejo insatisfeito que em si é mais desejável do que qualquer outra satisfação".)

De todas as histórias que conheço, aquela que me toca mais de perto é a experiência que incentivou minha esposa a iniciar sua busca, embora acontecimentos-chave tenham acontecido muito antes que a busca nos aproximasse. Entrando no mundo da moda enquanto cursava a Universidade do Sul da Califórnia, ela deparou com um inesperado sucesso, e foi de São Francisco a Paris, e depois para Nova York. Aos dezenove anos, viu-se muitas vezes na capa das revistas *Vogue*, *Harper's Bazaar* e outras como uma das modelos mais bem pagas no mundo. Ao mesmo tempo, ficou noiva de um belo e rico jovem barão francês e foi escolhida por Eileen Ford para ser uma das primeiras supermodelos do final da década de 1960. Não havia nuvens em seu horizonte, e o mundo estava em suas mãos.

Na época de ouro de Jean Shrimpton, Twiggy, Marisa Berenson e Lauren Hutton, a vida de uma modelo era realmente fascinante. Nos fins de semana, por exemplo, Windsor (seu nome profissional de então) e seu noivo frequentemente viajavam a Paris para um giro social que costumava incluir celebridades que lá viviam, como o duque e a duquesa de Windsor, os Rothschild, e Salvador Dalí e a esposa, Gala. Certo fim de semana, a festa mais cobiçada estava a pleno vapor no apartamento de Dalí no Hotel Le Meurice. Os convidados trajavam roupas elegantes e usavam jóias que ainda arrancam suspiros muitos anos mais tarde. Mas o que chamou a atenção dela foi o leopardo mascote de Dalí. Belo, ágil e poderoso, mas castrado, com as garras arrancadas (e provavelmente destituído de tudo o mais), ele andava inquieto por entre os convidados.

Subitamente, Windsor se deteve, arrebatada. O leopardo de Dalí, essa criatura magnífica em toda a sua feroz beleza, pareceu-lhe uma caricatura trágica de tudo o que havia nascido para ser — e, de repente, os convidados da festa também lhe pareceram assim. Eles não eram diferentes. Toda a sua riqueza, fama e vestidos elegantes os transformavam em uma caricatura também. Foi como se o chão se abrisse sob seus pés, e ela estivesse olhando para um abismo de falta de sentido. Paris, festas, ensaios fotográficos, vestidos elegantes, capas de revista, moda e grande parte da vida norte-americana e ocidental de repente lhe pareceram insubstanciais, vazios e efêmeros como um sopro que passa. Tudo o que ela estava buscando, tudo o que ela pensava haver alcançado, tudo o que ela havia fixado como meta se revelou, no piscar de um segundo, a vaidade que na verdade era. Havia algum sentido na vida, se tudo era assim? Existia um Deus, ou será que essa vida era tudo o que existia?

Ela saiu da festa e voou de volta a Nova York. Uma pergunta irrompera em sua vida, exigindo uma resposta, e não admitia protelação. Ela havia ido a Paris como uma supermodelo de sucesso estampada em capas de revistas de todo o mundo e voltou como uma investigadora decidida. (Eu relato e discuto essa e outras histórias semelhantes de sinais de transcendência em um livro complementar para investigadores, *Signals of Transcendence* [Sinais de Transcendência].)

Onde você está?

O impulso geral dessa primeira fase da busca deve ser claro. O movimento de abertura é um tempo de perguntas. Deixe os filósofos dizerem que a busca pelo sentido é loucura. Deixe os cientistas falarem que a ciência descobrirá tudo o que precisamos saber. Deixe os economistas alegarem que a vida com bens materiais é mais satisfatória do que qualquer noção de viver bem. Porém o investigador não se deixa enganar. A vida em si nunca nos fará pensar que isso é tudo. As perguntas da mente e do coração humano jamais serão silenciadas. A necessidade de sentido nunca será superada. O *Homo sapiens* continuará perguntando sem parar. O inquieto coração humano jamais se deterá até que encontre um lugar de descanso.

Francamente, o que importa nesta primeira fase da busca não é tanto se as pessoas são crentes ou descrentes, ou o conteúdo daquilo em que creem. O que é crucial é se elas estão abertas ou fechadas a perguntas, se estão realmente comprometidas a procurar o sentido da vida ou se são indiferentes. As perguntas de um investigador podem ser tranquilas ou dramáticas, mas o que importa é que sejam perguntas. O conjunto britânico de rock The Who expressou isso muito bem na canção "The Seeker", no refrão: "Eles me chamam de investigador / Tenho procurado em todos os lugares".

O zen budismo dá grande importância a esse ponto. A chave para o crescimento interior é "um carvão em brasa preso na garganta" — um obstáculo tão forte que não conseguimos engolir nem eliminar pela tosse. Um grão de areia na pérola, uma pedra no sapato, um sonho marcante, uma intuição silenciosa de que deve haver algo mais, um sinal de transcendência — as imagens variam, mas as experiências apontam na mesma direção. De repente a vida não é mais óbvia e não pode mais ser aceita sem questionamento. Uma pergunta insistente abalou a acomodação, explodindo a adequação de qualquer que fosse considerada a fonte de sentido anterior da pessoa. Nasce um investigador, e a busca está a caminho.

Não é preciso dizer que há um lado triste nessa primeira fase. Muitas pessoas nunca desfrutam dos benefícios do questionamento, porque simplesmente não fazem perguntas. Nunca fazem perguntas ou, mais precisamente, não escutam as perguntas que a vida lhes faz. Assim, elas não precisam iniciar a busca, e provavelmente não têm intenção de fazê-lo jamais. Sentem-se felizes em continuar em sua vida não examinada. A felicidade é um pequeno círculo, e elas relutam em sair da cordialidade dos amigos e do conforto das crenças herdadas. Há muito tempo elas não fazem nenhum autoquestionamento sério, quanto mais investigar aquilo em que os outros creem. Nosso presente a elas é lhes mostrar o privilégio e a alegria de uma vida examinada, e encorajá-las a começar a pensar e a fazer perguntas. Nunca é tarde demais para iniciar uma vida examinada.

Entretanto, para aqueles que desejam questionar e procurar, o desafio dessa primeira fase da busca pode ser resumido nas perguntas: Onde você está? Onde você está na jornada da vida? Está totalmente feliz com sua vida e situação, ou sente a necessidade de algo mais? À medida que a vida passava, ela evocou perguntas para as quais você sabe que precisa de resposta, quer para você mesmo, quer para os outros a quem você ama? Já deparou com a ideia de que precisa de respostas mais profundas do que você mesmo pode fornecer? Já teve experiências semelhantes a sinais de transcendência que talvez se sinta envergonhado de mencionar a outras pessoas para que não pensem que você enlouqueceu, mas que foram inegavelmente reais para você?

Os verdadeiros investigadores são moldados pelo caráter e o ímpeto de suas perguntas. Siga as perguntas. Escute os sinais. Mantenha mente e coração abertos, e vá em frente na exploração da próxima fase da grande busca.

6

Uma enorme diferença

Segunda fase: Tempo de respostas

A aventura da grande busca começou com o enfrentamento do desafio da vida examinada. Cada um de nós tem a responsabilidade de refletir sobre o sentido da vida e viver conforme ele da melhor forma possível. Estudamos a seguir a primeira fase da busca, o tempo de perguntas — como a vida propõe uma pergunta que exerce o efeito de colocar toda a nossa vida em questão, e então nos impele a procurar uma resposta. Agora nos voltamos à segunda fase da busca, que se segue naturalmente da primeira. A segunda fase é o *tempo de respostas*.

Quando a vida se transforma em uma pergunta, inicia-se a procura de uma resposta. Isso soa tão simples, tão natural e tão óbvio que essa fase da busca muitas vezes é confundida com a busca como um todo, em vez de uma fase entre outras. Precisamos dar relevância a todas as quatro fases, mas não há dúvida de que esta segunda fase é crucial. Para começar, o desafio não é somente encontrar uma resposta. Há incontáveis respostas em oferta na época consumista de hoje, e muitas delas são enganosas e insatisfatórias. O desafio é encontrar uma resposta que seja iluminadora e verdadeiramente adequada. Porém, mais do que isso, há uma tensão na procura de uma resposta, porque há sempre o risco de que possa não haver resposta para a pergunta. O investigador pode chegar à conclusão, como algumas pessoas chegaram, de que não há respostas — que a existência humana é inútil, que por trás do mistério não há nenhum sentido, e que a vida humana é absurda. Nossa vida ainda prossegue, sem qualquer resposta derradeira. Quase todos nós sabemos instintivamente que a vida é melhor do que a morte, mas, inevitavelmente, nossas atitudes em relação à vida desviam para um tipo de terra sem dono entre a recém-descoberta sensação de falta de sentido e uma nostalgia por alguma velha resposta que já não satisfaz como antes.

Existem dois problemas de grande importância nessa segunda fase da busca: iluminação e adequação. Há uma resposta que realmente lance luz sobre nossa situação, e é verdadeiramente suficiente para responder à pergunta? A vida propôs uma pergunta, a premência da pergunta colocou alguém em xeque, e esse alguém se transformou em investigador. O que ele está procurando é uma resposta adequada, uma resposta que satisfaça plenamente o desafio da pergunta. Note que há certas características em ação nessa segunda fase da busca — que podemos chamar de os três Cs da busca por uma resposta.

Conceitual

Em primeiro lugar, esta segunda fase da busca — o tempo de respostas — é essencialmente conceitual. Isso é importante, mas facilmente incompreendido. O principal foco neste estágio recai sobre as ideias — por duas razões. Obviamente, todas as respostas a serem buscadas, e todas as respostas a serem consideradas, começam como ideias a serem exploradas. Se as ideias vão algum dia se tornar respostas satisfatórias para o investigador, elas terão de provar ser mais do que teóricas, mas o nível teórico é onde elas começam. Hoje em dia fomos ensinados a descartar o que é puramente teórico e abstrato, e por boas razões. Queremos ideias que sejam sólidas, práticas e comprovadas na vida real. Mas o teórico não é obstáculo para o investigador, porque investigadores estão procurando respostas adequadas sobre as quais irão, finalmente, apoiar sua vida e sentido. Eles sabem que terão de passar da mera teoria à confiança completa, mas sabem também que só podem confiar em uma ideia que tenha sido verificada e julgada sólida.

Os verdadeiros investigadores não descartam ideias porque sejam teóricas. Todas as ideias apresentam o potencial de serem respostas sólidas às perguntas ardentes que os investigadores se colocam — quer dizer, a não ser que se descubra que as ideias são inadequadas e que elas sejam descartadas. Investigadores de poltrona, contudo, são diferentes nesse aspecto. Eles não colocam a alma no jogo e não investigam com seriedade. Para eles, a fase conceitual permanece no nível do envolvimento diletante e termina em debates infrutíferos que não levam a lugar algum.

Há outra razão pela qual essa fase é conceitual. Independentemente de qual foi a experiência que fez tropeçar o antigo crente, ou o descrente transformado em investigador, ela revelou algum problema em sua vida ou pensamento e, portanto, representa um tipo de golpe, uma ferida ou, pelo menos, um aborrecimento. Não há dúvida de que os investigadores estão procurando ativamente uma resposta satisfatória para sua pergunta. Mas, enquanto fazem isso, eles também querem proteger o ponto em que foram atingidos e que os faz agora se sentirem vulneráveis. Gato escaldado tem medo de água fria, então, em vez de mergulharem e se comprometerem com algo rápido demais, eles conduzem sua procura enviando a mente adiante para fazer a busca, enquanto protegem o coração contra qualquer outro ferimento.

É como se o investigador pusesse sua mente em ação como um batedor, uma guarda avançada ou uma equipe de preparação. A mente é enviada adiante em uma missão de reconhecmento, e o investigador guarda o coração até que a mente retorne com uma resposta satisfatória. O trabalho da mente é inspecionar o terreno, explorar as possíveis respostas, avaliar as opções sérias e enviar um relatório para o coração sobre qual candidata a resposta parece mais segura e mais promissora. A importância fundamental das ideias torna esse estágio inevitavelmente conceitual, mas ninguém deve se deixar enganar. A busca é por ideias, mas há muito mais do que meras ideias em jogo. Os investigadores estão lidando com ideias, mas nunca apenas abstrata ou teoricamente. A busca é por uma resposta que satisfaça à pergunta, e uma resposta que seja plenamente adequada — segura e sólida o bastante para que se possa basear a vida sobre ela. Então, sim, essa fase da busca é conceitual, mas a procura é por ideias e crenças que possam sustentar o peso da existência e as expectativas da pessoa.

Crítica

Em segundo lugar, esta fase da busca é não apenas conceitual, mas também crítica. Em sua procura de uma adequação universal, esta fase, mais do que qualquer outra, determina o sucesso da busca e o caráter e a solidez da resposta final

— ou o contrário. Uma coisa é dizer que as várias crenças, filosofias de vida, visões de mundo e religiões são diferentes. Isso é óbvio para qualquer um, exceto para os relativistas mais inconsistentes. Outra coisa bem diferente é avaliar como as variações fazem tanta diferença, e que elas fazem a diferença não apenas para os indivíduos, mas para sociedades inteiras. A razão é que as visões de mundo e de vida são as lentes pelas quais vemos a vida, porém, mais do que isso, elas também vêm a ser o lar em que vivemos. Elas moldam tudo o que vemos e tudo o que experimentamos. Determinam nosso senso de quem somos e como nos adequamos. Mas, além de moldar tudo o que vemos e experimentamos, elas também moldam aquilo que, por causa delas, talvez nunca sejamos capazes de ver e nunca sejamos capazes de experimentar.

Quando C. S. Lewis se converteu ao cristianismo, fez uma observação que se tornou célebre: "Creio no cristianismo como creio que o sol nasce: não só porque eu o vejo, mas porque por meio dele vejo tudo o mais". Encontramos a mesma ideia nas Escrituras. O salmista, por exemplo, declara a Deus: "Pois és a fonte de vida, a luz pela qual vemos" (Salmos 36.9). É importante notar, contudo, que a mesma afirmação poderia ser feita sobre toda fé, visão de mundo, filosofia de vida e também sobre a arte e a literatura. Como o filósofo francês Maurice Merleau-Ponty sustentou em "O olho e o espírito", seu último ensaio: "Não apenas *vemos* as obras de arte, mas vemos *de acordo com elas*".

Essa percepção é verdadeira sobre a fé e as visões de mundo ainda mais do que sobre a arte. Uma visão de mundo alega abranger e explicar o mundo inteiro e a vida toda. Alega abranger tudo, então é ainda mais importante que seja verdadeira, porque só o que é verdadeiro abrange toda a realidade e não deixa nada de fora. Toda fé e toda visão de mundo fornece uma lente através da qual aqueles que creem nela veem a vida, e um lar onde elas vivem no mundo. É uma questão de pertencimento assim como de sentido. Cria-se um mundo dentro do mundo que faz uma enorme diferença. É por isso que a escolha da resposta nesta segunda fase é tão crítica. A visão de mundo só é adequada se abranger tudo — sem deixar nada de fora e vendo com exatidão tudo o que vê. Não é apenas um mapa pelo qual nos orientamos, mas o lar onde podemos viver livres e contentes.

Esse é o ponto em que o relativismo vacila na prática. As diferenças entre as fés e visões de mundo muitas vezes são grandes, e as diferenças fazem diferença. Toda fé e visão de mundo, sendo diferente de outras fés e visões de mundo, concentra-se em alguns aspectos e obscurece ou bane outros aspectos a ponto de estes parecerem inexistentes. Então, conforme a fé e a visão de mundo em que depositamos nossa confiança, e conforme as lentes que usamos, vemos e experimentamos algumas coisas bem, e outras coisas nós não vemos e não experimentamos de forma alguma. Por exemplo, os que escolhem o hinduísmo como fé concentram-se na realidade final do universo como Atman, a base imutável e impessoal de todos os seres. Mas isso significa que eles jamais serão capazes de encontrar uma base para o valor supremo de um ser humano individual — um *dalit* ou "intocável", por exemplo. Na visão de mundo hinduísta, o valor e dignidade do *dalit* individual simplesmente não existe. A visão panteísta e monista do mundo os encobre e exclui. Segundo essa visão de mundo, concentrar-se em sua própria individualidade é estar preso no mundo de ilusão. A liberdade, ou *moksha*, é, portanto, "libertação" — liberdade *da* individualidade, não liberdade *para ser um indivíduo*.

Igualmente, aqueles que escolhem ser ateus, ou que endossam a visão de mundo secular, dão máxima importância ao mundo dos cinco sentidos. Mas, ao concentrar-se no aqui e agora do mundo material, eles se limitam ao que está dentro do alcance dos sentidos e da ciência. Isso significa que são incapazes de perceber a transcendência e tudo o que está além do mundo dos sentidos e da ciência, quanto mais tudo o que venha do que está totalmente fora do mundo. O materialista, o naturalista e o secularista só conseguem ver as sombras tremeluzindo nas paredes da caverna e não a luz do sol lá fora. Não conseguem ouvir o que Einstein chamava de música das esferas que outros escutam. Sua visão de mundo lhes torna isso impossível.

A visão de mundo secularista é como a cama do estalajadeiro grego Procusto. Tudo o que não cabe é cortado fora. Assim, para os prisioneiros que se contentam em permanecer na caverna de Platão, a luz do sol e a música simplesmente não estão lá. No final da vida, Charles Darwin admitiu, tristemente, que se tornara cada vez menos capaz de apreciar a música do *Messias* de Handel, que ele outrora amara. Nem a beleza, nem o sentido dessa música se encaixavam dentro de sua visão de mundo naturalista. Pascal já notara o problema da miopia do ateu quando observou, com desdém, nos *Pensamentos*: "Tudo o que é incompreensível, nem por isso deixa de existir" — embora pareça deixar de existir para o ateu.

Em outras palavras, o que conhecemos é sempre moldado pela atenção que dedicamos ao nosso conhecimento, assim como a atenção que dedicamos sempre moldará a realidade que experimentamos. Como ilustra o psiquiatra

Iain McGilchrist a partir de uma pesquisa sobre o cérebro, uma montanha é uma montanha é uma montanha — como a rosa de Gertrude Stein. Mas não é só isso. Uma montanha também pode significar coisas diferentes para pessoas diferentes, conforme as diferentes lentes pelas quais elas a veem e a vivenciam. Para um grego pagão, uma montanha como o Monte Olimpo pode ser a morada dos deuses. Para um marinheiro português navegando pelo mundo, pode ser um ponto de referência. Para um engenheiro de minas sul-africano, indica riqueza. Para um pintor francês como Paul Cézanne, proporciona um tema para o próximo quadro. E para um alpinista inglês do século 19, um pico nos Alpes como o Matterhorn constitui um desafio a escalar simplesmente por existir.

Esse ponto sublinha por que esta segunda fase da busca — um tempo de respostas — é tão crítica para o investigador. Desde o instante em que o investigador é atraído pela primeira vez para uma resposta, essa resposta começará a moldar o modo como o investigador vê o mundo, e começará até a moldar o mundo do investigador que é atraído para ela. Isso significa que, em certo nível, o interesse do investigador por ideias nesse estágio pode parecer ser apenas uma discussão teórica sobre diferentes crenças e diferentes ideias. Mas, em outro nível, uma seriedade mais profunda espera nos bastidores. O que está em jogo não são meramente ideias. Caso adotadas, as ideias se transformarão em crenças que devem suportar o peso da existência do investigador e moldar o caráter de sua experiência.

Por enquanto, as respostas em potencial ainda são apenas ideias, mas se e quando elas forem escolhidas e consideradas de confiança, moldarão o investigador transformado em crente em cada célula e fibra de sua vida, em formas que apresentam consequências para toda a vida. O lar — a visão de mundo — em que o hinduísta e o budista vivem é drástica e decisivamente diferente do lar em que o judeu e o cristão vivem, da mesma forma como cada um deles é diferente do lar em que o ateu e o naturalista vivem. Para os dois primeiros, por trás de tudo na vida há uma base impessoal do ser, para o terceiro e o quarto existe um Pai, e para os últimos, não há nada além do supremo acaso e necessidade. As diferenças fazem diferença, e as escolhas têm consequências. Desnecessário dizer, isso é verdadeiro para sociedades tanto quanto para indivíduos, e faz uma enorme diferença em temas como liberdade e justiça. Minha preocupação neste livro é a procura de sentido pelo indivíduo, que é uma questão pessoal, mas a importância pública para a sociedade é igualmente imperativa.

Para ser justo, nem sempre é fácil ver quão críticas são as diferenças. As variações entre as fés e visões de mundo, e as diferenças que elas fazem, muitas vezes são ocultas pelo que cada fé e visão de mundo encara como evidente. O que é evidente para um pode automaticamente fazer as visões de outros parecerem ridículas, absurdas ou algo do tipo "não é desse jeito que vemos as coisas". Para os ocidentais, por exemplo, o bom senso encara a realidade externa como evidentemente real, mas a visão hinduísta de *maia*, que vê a realidade como ilusão, é igualmente evidente para os hindus. ("Se quando estou dormindo sou uma pessoa que sonha que é uma borboleta, como sei que, quando estou acordado, não sou uma borboleta sonhando que sou uma pessoa?") Entre as diferenças cruciais entre as duas visões de mundo está, é claro, que a visão ocidental — mais exatamente a visão de mundo judaica e cristã — deu origem à ciência moderna; a visão hindu não o fez e não poderia fazê-lo. As diferenças fazem diferença, e evitar julgá-las ou avaliá-las em nome da tolerância e não discriminação é tolice. Mas, igualmente, o que pode parecer evidente para qualquer indivíduo torna uma comparação justa difícil.

Comparativa

Em terceiro lugar, esta segunda fase da busca é essencialmente comparativa. Há muitas respostas em oferta no mundo moderno, muitos vendedores apregoando seus artigos para os ávidos e os inocentes, então precisamos comparar. É óbvio que seria bobagem qualquer investigador aceitar a primeira oferta que encontra, sem continuar procurando. Como um aluno avaliando diferentes universidades onde se inscrever, ou um jovem casal considerando uma casa para comprar, o investigador que é sábio precisa comparar, analisar, avaliar e, finalmente, julgar todas as opções e suas consequências. A imaginação desempenha um papel vital nesta segunda fase da busca. Ela entra no jogo como principal ajudante do sentido. "Se eu me deixar convencer", diz o investigador, "de que o mundo é desse jeito, que diferença faria, e isso seria adequado ao pensamento e à minha vida?" Tais comparações, no entanto, apresentam problemas, e atualmente há muitas objeções a toda a ideia de comparações.

Em primeiro lugar, diz-se que a comparação é detestável, porque na era pós-moderna escolhas definitivas parecem exclusivistas e intolerantes. Como um aluno me disse, em objeção: "Fazer comparações é um jeito dissimulado de se tentar parecer mais alto cortando a cabeça das outras pessoas".

Em segundo lugar, diz-se que a comparação é perigosa porque só serve para reforçar um senso de relativismo. Como declarou, ironicamente, o capelão de Oxford, Ronald Knox: "Estabelecer relações de comparação entre religiões é uma ótima receita para tornar as pessoas relativamente religiosas".

Em terceiro lugar, diz-se que a comparação é equivocada porque deixa de reconhecer que todas as visões de mundo apresentam algum aspecto de verdade. Elas são todas formas válidas de fé e sentido e, de qualquer modo, há um núcleo comum subjacente a todas, se o procurarmos com atenção.

Em quarto lugar, diz-se que a comparação é fútil porque comparar coisas de modo adequado é impossível. Nossa vida é curta, e se alguém realmente quisesse explorar todas as visões de mundo em oferta, isso levaria três vidas inteiras e um saldo bancário bilionário para fazer justiça à tarefa.

É inquestionável que há um número quase incontável de crenças e filosofias de vida no mundo hoje. Então como o investigador pode explorar e avaliar todas elas? A resposta é que, apesar da variedade avassaladora de possíveis respostas, dois fatores reduzem o âmbito de opções para o investigador sério. Primeiro, cada investigador tem perguntas específicas, e isso reduz drasticamente as possíveis perguntas que cada investigador precisa investigar. E segundo, existem apenas três grandes "famílias de fé" à disposição, e isso restringe as escolhas a um número manejável.

Onde encontrar as respostas?

A menção às famílias de fé levanta uma questão sobre onde as respostas devem ser buscadas atualmente, o que é um lembrete de um obstáculo comum na busca. Como vimos no início da discussão, uma das maiores barreiras contra levar a busca pelo sentido da vida a sério é a prevalência da acomodação junto com o ceticismo. Os níveis de afluência e comodidade no mundo moderno avançado são tais que uma quantidade inédita de pessoas vive com pouca ou nenhuma consideração por fé, sentido ou valores. Somos tão ricos em relação a questões imediatas como conforto, comodidade e segurança que dedicamos pouca preocupação a questões fundamentais como fé e sentido. O mundo moderno avançado nos levou a uma situação em que apenas viver, sem pensar em assuntos fundamentais de qualquer tipo, é suficientemente satisfatório para muitas pessoas.

Há também as celebridades que possuem riqueza, poder e fama ainda maiores e que ostentam autossuficiência diante de todos os que levam a sério a vida examinada. Viva como elas, elas parecem dizer, e não precisará pensar sobre fé ou sentido. O pintor Francis Bacon era uma dessas pessoas, e o que era autossuficiêcia para ele era um conselho de niilismo para outros. Por meio do poder de sua fama, ele se entregava a uma necessidade avassaladora de subverter todas as convenções e exceder todos os limites. A vida para ele, ele dizia, era vivida entre dois vazios: o nada antes de nascermos e o nada depois que morremos. Bacon afirmava: "Viemos do nada e ao nada voltaremos", e poucos desafiavam essa declaração constantemente repetida sobre a futilidade da vida. "Nesse breve intervalo, podemos apenas vaguear e tentar nos encontrar", dizia. E então, erguendo o copo, e com a voz carregada de ironia, ele acrescentava: "Já que a coisa toda é uma farsa, podemos muito bem tentar brilhar".

Depois de escutar essas bravatas arrogantes, quem iria querer ser visto como um investigador extremamente sério, procurando uma resposta e com um empenho claramente demasiado? Melhor ser o "super-homem" de Nietzsche, para quem a vida é "um jogo jogado sem nenhuma razão". "Não acredito em nada", Bacon dizia, "mas estou sempre feliz ao acordar de manhã... É louco, eu sei, porque é um otimismo sem nenhuma base. Acho que a vida é sem sentido e, mesmo assim, ela me empolga." Tal cinismo é simplesmente a vasta despreocupação dos ricos e famosos, do qual o melhor exemplo é a declaração de Maria Antonieta, "Que comam brioches".

Onde, então, devemos buscar respostas? As bravatas de Bacon pelo menos esclarecem por que poucas pessoas hoje recorrem à arte em busca de respostas fundamentais. A arte em si se gaba do fato de não ter as respostas. O poeta irlandês William Butler Yeats esteve outrora entre aqueles que esperavam mais. "As artes, acredito, devem assumir o fardo que caiu dos ombros dos sacerdotes." Entretanto, um século mais tarde, as artes não tinham mais a importância social ou filosófica que possuíam no século 19 e início do século 20. Por um lado, a arte se tornou elitista demais. Por outro lado, perdeu o rumo na pressa de chocar a burguesia e zombar das regras do passado. A célebre *Fonte* de Marcel Duchamp de 1917 (um mictório de cabeça para baixo) subverteu a própria ideia de arte. A partir de então, quem pode dizer o que é arte e o que não é? Qualquer coisa e tudo pode ser arte, mas tal arte tem pouco de importante a dizer sobre o sentido da vida.

Ainda mais impressionante, a maioria das pessoas não busca mais por respostas na ciência como fazia outrora. A ciência e o método científico são a autoridade final para muitas pessoas contemporâneas, mas, embora sejam brilhantes e indispensáveis na resposta a perguntas sobre o *como*, são incapazes de lidar com os profundos *porquês* da vida.

Wittgenstein falou em nome de muitos quando concluiu: "Sentimos que, mesmo quando *todas* as perguntas científicas *possíveis* tiverem sido respondidas, os problemas da vida permanecerão completamente intocados". O filósofo espanhol Ortega y Gasset concordava: "A vida não pode esperar até que as ciências expliquem o universo cientificamente. Não podemos adiar a vida até estarmos prontos". A ciência é inestimável e indispensável à vida humana, mas sozinha não fornece e não pode fornecer a resposta para o sentido da vida.

Talvez de modo ainda mais surpreendente, muitos agora admitem que a filosofia não consegue dar, ou não dá, respostas sobre o sentido da vida. Poucos mostraram um desprezo tão grande quanto o dramaturgo Eugene O'Neill, que frequentemente se referiu aos filósofos como "filosofastros". Mas alguns, como Leszek Kołakowski, um ilustre filósofo ele mesmo, reconhecem que, depois de três mil anos, a filosofia não chegou a nenhuma resposta consensual e incontestável às várias perguntas que abordou de modo proveitoso. Como uma forma de pensar claramente sobre o pensamento, os benefícios da filosofia são essenciais e inegáveis, mas, como um guia seguro para o sentido da vida, a filosofia também se mostrou limitada.

Famílias de fé

No final, não há dúvida de que as respostas mais profundas, mais duradouras e mais satisfatórias sobre o sentido da vida vêm das famílias de fé — as grandes crenças, visões de mundo ou filosofias de vida dentro das quais as pessoas têm vivido ao longo dos séculos e nos diversos continentes. Nada chega perto dessas grandes visões de mundo em termos de abrangência. Elas cobrem questões desde as mais derradeiras às imediatas, e desde o como até o porquê. Cada uma delas, é claro, oferece sua própria e, portanto, bem diferente descrição do sentido da vida — o que significa que precisamos comparar e escolher entre elas. O termo *família de fé* descreve religiões e visões de mundo que apresentam uma semelhança familiar comum porque compartilham a mesma visão do que consideram ser a suprema fonte de realidade no universo. Vendo-se desse modo, há três grandes famílias de fé no mundo hoje.

A primeira é a família de fé oriental, que inclui o hinduísmo, o budismo e o movimento Nova Era. Para essa família, a suprema fonte da realidade é a base impessoal do ser. A segunda é a família de fé secularista, incluindo o ateísmo, o agnosticismo, o naturalismo e o materialismo. Para eles, a suprema fonte da realidade é o acaso ou o acaso e o determinismo. (Como afirma Richard Dawkins, o universo é o resultado de um "acaso feliz".) E a terceira é a família de fé abraâmica, incluindo o judaísmo, a fé cristã e o islamismo. Para eles, a suprema fonte da realidade é o Criador pessoal e infinito, que se situa fora de tudo — Deus, a quem os judeus e cristãos se dirigem como *Javé* e os muçulmanos como *Alá*. Existem, é claro, diferenças fundamentalmente importantes dentro das famílias de fé, assim como entre elas.

A máxima de Richard Weaver de que "ideias têm consequências" é geralmente aceita hoje em dia. Entretanto, estranhamente, a miopia gerada por nossa cultura secularista impede que as pessoas reconheçam o que é igualmente óbvio na história de civilizações: "fés têm consequências". De fato, os indícios que comprovam a segunda máxima são mais fortes do que os que comprovam a primeira. Não há dúvida, por exemplo, de que a visão ocidental de dignidade humana e o conceito de direitos humanos que a acompanha são um legado dos judeus. Ambas vêm diretamente da declaração do Gênesis de que os seres humanos foram feitos à imagem e semelhança de Deus. Assim, como seres humanos, devemos sempre ser definidos de forma *elevada*, em relação com Deus, à cuja imagem fomos criados. Sempre que nós, seres humanos, somos definidos de forma *rebaixada* (como o "fabricante de ferramentas", o "gene egoísta" e o "macaco nu", por exemplo, ou como animais ou máquinas), nos sentimos frustrados e não realizados por nossa visão de nós mesmos. Como mostra a história do pensamento, a dignidade humana e os direitos humanos simplesmente não vêm, e não poderiam vir, das famílias de fé orientais nem secularistas. Essas visões de mundo não fornecem base para o valor humano, uma questão que vale a pena considerar à medida que derivamos para um mundo que não apenas é pós-verdade como também cada vez mais pós-direitos.

De maneira notável, o mesmo se dá com o conceito de liberdade. Para os babilônios, a vida era regida pelos astros; para os gregos, era governado por *moira*, o destino; e para os modernos secularistas, é decidido pelo acaso e a necessidade. Não havia e não há nenhuma base para a liberdade humana em qualquer dessas filosofias ou em qualquer civilização baseada nelas. A liberdade é, quase exclusivamente, outra dádiva dos judeus, mantida pelos cristãos. Deus em sua transcendência é soberano e livre. Ele exerce sua vontade apesar de toda a interferência e oposição. Feitos à imagem e semelhança de Deus, nós humanos somos importantes, e a capacidade de escolher está sempre diante de nós: escolher bondade e vida, ou mal e morte.

Notáveis consequências para a história e as civilizações emanam em todas as direções das grandes diferenças entre as fés. Mas, é claro, a preocupação imediata é com o investigador como indivíduo. "Minha preocupação", diz o investigador, "não é com a história ou a civilização, mas com uma resposta satisfatória às perguntas que tenho." Teoricamente, podem existir tantas preocupações quanto existem investigadores. Em minha experiência, as duas questões que enfatizam as comparações mais do que quaisquer outras são a questão do valor humano (e, portanto, do propósito e satisfação também) e o problema do mal e do sofrimento. Mas as diferenças entre as fés são evidentes em um amplo espectro de temas, tais como tempo, liberdade, justiça, perdão, comunidade e incontáveis outros. Considere qualquer questão que possa impelir um investigador e veja-a pela lente das três famílias de fé, e os resultados serão notavelmente diferentes. Realidade, verdade, tempo, história, liberdade, justiça, igualdade, perdão e paz — todos serão diferentes dependendo da fé e visão de mundo pela qual são entendidos. Em cada caso, *o contraste será a mãe da clareza.*

Essas diferenças sublinham as escolhas do investigador drasticamente, mas, para muitos investigadores, essas questões podem não ser as cruciais. As perguntas podem ser bem mais pessoais. Existe um Deus pessoal, ou mesmo um Pai, por trás do universo? Como a culpa torturante pode ser resolvida, ou relacionamentos rompidos ser reparados? Há bases para uma justiça final para aqueles que foram injustiçados, ou base para a esperança e uma segunda oportunidade se uma promessa de anos anteriores se perdeu? O que importa é que cada investigador saiba e consiga pesquisar a pergunta específica que ele ou ela tem em mente, e encontrar uma resposta adequada.

Em suma, o que está em jogo ao longo desta segunda fase da busca por fé e sentido é a iluminação e a adequação. Alguma fé que você como investigador tenha considerado responde às suas perguntas? Será que essa fé faz isso de uma forma que acende a luz nas trevas e se encaixa como uma chave na fechadura, de modo que seu caminho seja iluminado e sua vida receba uma base sólida para seguir em frente? O contraste é a mãe da clareza, mas a meta e a necessidade neste estágio é a iluminação e a adequação. O tempo de perguntas deve se encerrar naturalmente e encontrar sua resolução no tempo de respostas.

7
Verificando
Terceira fase: Tempo de comprovações

A terceira fase na busca deve ser protegida com um aviso claro: "Cuidado com o campo minado". Esta fase é cercada de controvérsia, entretanto é, na realidade, tão objetiva quanto importante. Segue-se naturalmente da segunda fase como a segunda se segue da primeira. Uma vez que as perguntas atraiam o investigador para as respostas de uma família de fé mais do que para as outras, e depois para uma fé específica cujas respostas ele julga parecerem mais adequadas, surge então a pergunta natural: Será que essa fé é verdadeira? Esta terceira fase é o *tempo de comprovações*. Sim, a fé em questão pode ser iluminadora, e suas respostas podem parecer sedutoramente adequadas, mas será que essa fé é garantida ou é apenas uma ficção atraente? Este terceiro estágio envolve o que o filósofo chama de justificação, o cientista chama de verificação ou falsificação, o advogado chama de auditoria prévia e, na fala comum, é simplesmente uma questão de conferir. Ninguém quer ser enganado. *Caveat emptor* ("o comprador que se cuide") é tão verdadeiro para investigadores quanto para compradores.

A razão suprema para crer

Se o foco da segunda fase da busca era a iluminação e a adequação, então a imaginação desempenhou o papel principal, mas um papel que era intencionalmente descomprometido. ("Ainda não estou pronto ou pronta a me comprometer com nada, mas, se vou aceitar esta ou aquela fé, será que ela dará a resposta às minhas perguntas?") Essa atitude muda decisivamente na terceira fase. O principal foco agora é a busca pela verdade, e o papel principal não é mais desempenhado pela imaginação, mas pela razão — a séria e prática razão, o raciocínio e a relação entre a verdade e a realidade.

Esse terceiro estágio apresenta uma importância incomum atualmente, tanto para os investigadores quanto para os defensores de qualquer fé. A adequação é sempre uma questão crucial para o investigador, mas a verdade também o é, ainda que a verdade receba menos atenção na era pós-moderna por uma óbvia razão. No coração do pós-modernismo está uma negação cabal da verdade, ou do conhecimento moral objetivo e até da realidade em si. (Nos casos extremos, até a biologia e a realidade de nosso corpo são rebaixadas no interesse do que as pessoas possam sentir sobre si mesmas.) Deus está morto e a verdade está morta, dizem os pós-modernos, e tudo é relativo. Tudo é uma questão de qual é a sua posição e de como você vê as coisas. Tudo é uma questão de perspectiva e uma questão de poder. Até a realidade em si é relativa, eles dizem, e socialmente construída.

Para aqueles que defendem tais ideias, o desafio exige uma resposta mais completa. Basta dizer aqui que a expressão comum e declarada a plenos pulmões, "Não existe verdade absoluta", repousa sobre uma dupla falácia. Não apenas é autocontraditória como é um convite aberto para rejeitarmos a afirmação totalmente. Quando alguém alega que não existe a verdade, essa pessoa está simplesmente lhe dizendo para não crer no que ela está dizendo. Então, como dizem os filósofos, tome o que eles dizem ao pé da letra e não creia neles.

O fato é, contudo, que a verdade importa de forma suprema, porque há realidade na vida e no universo, e a verdade se refere à realidade. É por isso que a noção de verdade, inclusive as alegações de verdade, é crucialmente importante: a verdade se refere a fatos sólidos e à realidade. Novamente, *a verdade, se é de confiança, não é nada menos do que a realidade da realidade.* Tudo o que não é verdadeiro, nesse sentido, não é alinhado com a realidade e, exceto em áreas como as artes criativas, as formas de irrealidade são em sua maioria desastrosas para uma vida boa, quanto mais uma vida examinada — mentiras, engodos, ilusões, insanidade, desconfiança, suspeição e a catastrófica erosão da confiança e da liberdade. (As ideias de *fake news*, teorias da conspiração e vigilância do nascimento até a morte são irmãs de sangue e filhas do pós-modernismo.)

Para pessoas pensantes, a única razão livre, responsável e final para crer em algo é a convicção de que esse algo é verdadeiro. Alegações a respeito da verdade devem ser, portanto, fundamentais para qualquer fé que reivindique ser racional e de acordo com a realidade. Tais alegações devem, assim, estar abertas à investigação de qualquer um que deseje examiná-las. Esse é, enfaticamente, o caso da fé cristã. Com sua fé fundamental em um Deus da verdade cuja palavra é verdade e cujas pessoas são chamadas a se tornar pessoas de verdade, as alegações de verdade são extremamente importantes para os cristãos. A fé cristã alega ser verdadeira no sentido de que se alinha plenamente com a realidade. Ela é verdadeira no sentido de que, se é verdadeira, seria ainda verdadeira mesmo que ninguém cresse nela; e, se é falsa, seria ainda falsa mesmo que todos cressem nela. As alegações da fé cristã são sempre abertas à investigação, e nenhuma questão sincera é fora do limite. Como Jesus disse a seus primeiros discípulos: "Venham e vejam", ou verifiquem por vocês mesmos.

Se isso ainda não basta, o lugar da verdade na fé é importante por outra razão hoje em dia. A verdade é a salvaguarda mais segura contra a barragem de objeções modernas e pós-modernas à fé. Muitos crentes contemporâneos passam por cima da questão da verdade. ("Eu tinha um problema, a fé é a resposta, creio em Deus.") Inconscientemente, eles então suprem a ausência de verdade recorrendo a justificações que são compreensíveis, mas inadequadas. Eles creem em Deus por razões experienciais ou funcionais. "Sinto Deus em meu coração", "Creio em Deus porque minhas orações foram atendidas", ou algo no sentido de que a civilização e uma sociedade decente exigem, de algum modo, a religião. Tal fé pode ser sincera, mas, sem a sólida convicção de verdade, sempre será vulnerável à dúvida ou passível de abandono. Com demasiada facilidade, tal fé se torna uma espécie de má-fé. Crê-se nela por razões outras que não o fato de que ela é verdadeira.

Em forte contraste com todas essas expressões fracas de fé, deve haver um momento em que, como observa Chesterton, ele e milhões de cristãos como ele creem na fé cristã porque a chave "se encaixa na fechadura". A fé cristã não pede que ninguém creia que ela é verdadeira porque funciona. Pede, ao contrário, que os investigadores verifiquem se estão convencidos de que ela é verdadeira, e então os convida a verem que, porque ela é verdadeira, ela também funciona de mil maneiras gloriosas.

Não há dúvida de que a verdade é uma questão espinhosa atualmente. Há muitas razões para considerar por que a verdade se tornou tão controvertida. Alguns precisam entender como o ceticismo de hoje é o resultado previsível dos excessos de ontem na busca de certeza com base apenas na razão. Racionalismo gera irracionalidade. Outros precisam compreender que a visão de verdade e realidade objetiva dos judeus e cristãos nunca sairá de moda por muito tempo, que o ceticismo nunca dura e que a verdade, a confiança e a fidedignidade são essenciais para incontáveis empreendimentos humanos, como negócios, ciência, jornalismo, política e, acima de tudo, relacionamentos pessoais. Ainda mais importante, todo investigador deveria ser encorajado a investigar as afirmações de Jesus e o evangelho por si mesmo, e ser convencido da razão definitiva para crer que a fé cristã é verdadeira. Como uma chave da vida, ela alega encaixar-se na fechadura, alinhar-se com a realidade, ser verdadeira.

Os fatos se encaixam?

Há duas formas iguais e opostas de fugir da questão da verdade, e duas principais abordagens para investigar a verdade. Por um lado, algumas pessoas estabelecem padrões impossíveis para a verdade que ninguém e nada conseguiria atingir. Antes que algo seja aceito como verdadeiro, elas dizem, precisa ser testado. Mas como testamos o teste para saber que ele comprova a verdade com certeza? Precisamos de outro teste, e outro para testar esse teste, e assim por diante. Em pouco tempo, a procura de certeza cai em uma circularidade, e depois no ceticismo e desespero. Não há como comprovar a verdade, mas também não há como viver em ceticismo a respeito de tudo. Precisamos confiar em algo a fim de pensar; mas em que, e por quê?

Por outro lado, outras pessoas evitam a questão totalmente. Se a fé é atraente, quem se importa com a quantidade de provas existentes? Como já falei, há crentes religiosos que agem dessa forma, mas não apenas crentes religiosos. Há exemplos secularistas de irracionalidade também. Quando Charles Darwin enviou um exemplar de *A origem das espécies* para seu irmão mais velho, Erasmus, em 1959, o irmão escreveu em resposta com entusiasmo. Foi "o livro mais interessante que já li". A seleção natural era uma teoria tão atraente que a falta de provas em pontos cruciais não o incomodava. "Na verdade", ele escreveu, "se os fatos não se encaixam, ora, pior para os fatos; é como me sinto."

Richard Lewontin, biólogo de Harvard, demonstrou uma atitude semelhante quanto às provas em um célebre artigo para a revista *The New York Review of Books*. Cientistas naturalistas como ele próprio, ele escreveu, "assumem um compromisso prévio com o materialismo", estando então dispostos a adotar certas posições contrárias ao bom senso. "Não é que os métodos da ciência nos obriguem de algum modo a aceitar uma explicação material do mundo fenomênico." Ao contrário: "Somos forçados por nossa aderência prévia a causas materiais a criar um dispositivo de investigação e um conjunto de conceitos que produzem explicações materiais, independentemente de quão absurdas, independentemente de quão incompreensíveis sejam para os não iniciados. Além disso, esse materialismo é absoluto, pois não podemos permitir que se introduza um Pé Divino na porta".

Não podemos permitir que se introduza um Pé Divino na porta? São inequívocos nessas espantosas confissões o salto de confiança do irmão de Darwin e a mente estreita do biólogo. É claro que verdade, prova, receptividade e investigação não são as considerações principais para esses darwinianos. Não se deve permitir o Pé Divino na porta. Compare essa frase com a do apóstolo Paulo ao escrever sobre a ressurreição de Jesus: "E, se Cristo não ressuscitou, nossa pregação é inútil, e a fé que vocês têm também é inútil" (1Coríntios 15.14). John Updike ressaltou esse mesmo ponto fortemente no poema "Sete estrofes sobre a Páscoa" sobre a verdade da ressurreição: não há outra hipótese. Não tem mas, nem meio mas. Ocorreu uma ressurreição do corpo ou não ocorreu. "Se a dissolução das células não foi revertida, as moléculas recompostas, [...] a Igreja cairá."

Não vamos zombar de Deus e nos enganar com discursos sobre fé como metáfora e parábola, declarou Updike. Ou a ressurreição de Jesus aconteceu na realidade, no espaço e no tempo, ou não aconteceu. A fé cristã se sustenta ou desmorona com base nessa alegação ser verdadeira, e a prova da ressurreição de Jesus é o eixo de todas as alegações.

Panorama geral ou vista de perto

Há duas formas principais de investigar crenças para ver se elas combinam com os indícios. Ambas são legítimas, e a preferência por uma ou outra depende, sobretudo, de como as pessoas pensam. Uma forma é olhar para o panorama geral e avaliar as grandes teias de alegações de verdade entremeadas que são a essência da visão de mundo. Será que elas são coerentes em si mesmas, e será que correspondem ao que cremos ser realidade? Contrariamente ao pensamento de muitos, essa forma de avaliação pode ser encontrada na ciência também. Por um longo tempo, por exemplo, existiu um conflito aberto entre a visão de Ptolemeu de nosso universo imediato como centrado na Terra e o modelo centrado no Sol de Copérnico e Galileu. Como sabemos, o vencedor foi o modelo que incluía teorias de larga escala que respondia a mais perguntas e incorporava mais fatos do que o outro.

Essa forma de pensamento em larga escala estava no cerne da jornada para a fé de G. K. Chesterton. Como você deve se lembrar, no tempo em que cursava a escola de arte ele se sentiu atraído para uma visão sombria e pessimista da vida, até que foi "interrompido em seu caminho por um dente-de-leão". Havia beleza nas trevas. Apesar de seu pessimismo, ele se sentiu incrivelmente grato por estar vivo, mas sabia que precisava de mais do que um otimismo infundado. Ele se tornou investigador e procurou uma fé que fizesse justiça tanto às trevas quanto à luz, o pessimismo e a esperança. Seu entusiasmo se tornou evidente quando lhe ocorreu que a fé cristã falava a ambos os lados do que ele vivenciara e o que sabia que deveria ser verdade. "O cristianismo era acusado, ao mesmo tempo, de ser otimista demais a respeito do universo e pessimista demais sobre o mundo. A coincidência me fez estancar de repente." A razão, Chesterton percebeu, estava na visão bifocal da vida na Bíblia, que abrangia as verdades gêmeas da criação e da queda. Fazia plena justiça ao que era belo e admirável na vida, mas também iluminava o que continuava acontecendo de terrivelmente errado.

O entusiasmo de Chesterton aumentou durante a busca, até que houve um momento e uma experiência "impossível de descrever". Foi como se ele estivesse tateando às cegas durante toda a vida com duas máquinas enormes e incontroláveis, uma constituída por uma imensa estaca e outra por um amplo buraco. De repente, ele viu que as duas se encaixavam perfeitamente. Mais tarde ele escreveu em *Ortodoxia:* "E então uma coisa estranha começou a acontecer. Assim que essas duas partes das duas máquinas se ajustaram, uma depois da outra, todas as demais se encaixaram, combinando com misteriosa exatidão. Eu podia ouvir peça por peça em toda a maquinaria ocupando seu lugar com uma espécie de clique de alívio. Depois de ajustada uma parte, todas as outras repetiam o ajuste, como toque após toque o relógio bate o meio-dia". Como as últimas peças de um quebra-cabeça gigante entrando finalmente em seu lugar, o encaixe entre a fé cristã e o estado do universo se realizou.

O inflexível pessimismo do pensamento de Chesterton fora perturbado pelo sinal de transcendência. Ele se sentia grato por estar vivo, mas seu deleite com a vida e seu entusiasmo natural agora haviam encontrado uma sólida razão para a confiança. "O filósofo moderno me dissera muitas e muitas vezes que eu estava no lugar certo, e eu ainda me sentia deprimido mesmo aceitando isso." Mas depois ouvira que "estava no lugar errado, e minha alma exultou de alegria, cantando como um pássaro na primavera. [...] Agora eu sabia [...] por que eu podia sentir saudades de casa estando em casa". O quadro em larga escala da visão de mundo cristã respondeu a suas perguntas e se encaixou perfeitamente com tudo o que ele sabia da vida e do universo.

O que impressionou tanto Chesterton foi revelador para muitos outros também. A força da visão bifocal da Bíblia permite que judeus e cristãos juntem realismo e esperança, otimismo e pessimismo. "O ser humano não é anjo nem animal", Pascal escreveu nos *Pensamentos*, "e infelizmente todos os que tentam agir como anjos agem como animais." "Na verdade me parece", escreveu C. S. Lewis a um amigo, "que é difícil dizer algo suficientemente mau ou bom sobre a vida." Viktor Frankl escreveu algo semelhante: "Foi o ser humano que inventou as câmaras de gás de Auschwitz; todavia, foi ele também que entrou naquelas câmaras ereto, com a Oração do Senhor ou o Shemá Israel nos lábios". A conclusão de Chesterton foi tão sóbria quanto sua descrição de seu momento de "eureca" foi exuberante. "Se me perguntarem, num sentido puramente intelectual, por que acredito no cristianismo, só posso responder [...]: Acredito no cristianismo de modo totalmente racional, com base na evidência. Mas a evidência no meu caso [...] não está nesta ou naquela alegada demonstração; está num enorme acúmulo de fatos pequenos, mas unânimes." A visão cristã das coisas correspondia ao que ele conhecia da vida e do universo, e o encaixe era a prova de que ele necessitava para a fé.

Nada de condescendência, por favor

A abordagem "de perto" é muito diferente daquela do "panorama geral", embora quando compreendidas corretamente as duas andem de mãos dadas e algumas pessoas usem ambas igualmente. O exemplo mais famoso da abordagem de perto é a célebre história de C. S. Lewis, que se tornou um relato clássico e contado tantas vezes que suplanta outras descrições da jornada, como se todos precisassem seguir rigorosamente as pegadas de Lewis. Começando como ateu, como você deve se lembrar, Lewis foi sacudido pela experiência de ser "surpreendido pela alegria". Foram os sinais de transcendência que golpearam sua visão de mundo marcada pela guerra, inflexivelmente naturalista, e apontaram para algo ou alguém além disso. Eles o lançaram em uma busca de mais de dez longos anos. Seu pensamento progrediu lentamente do ateísmo ao idealismo, e depois do idealismo à possibilidade de teísmo — tudo em reflexões em larga escala por meio de árduas conversas com amigos, quando corações e mentes se extravasavam em cartas e passeios, e acompanhados por incontáveis bules de chá e copos de cerveja.

Um momento crucial ocorreu quando Lewis estava conversando com um colega professor em seu dormitório no Magdalen College, em Oxford. Aquele colega era conhecido por seu ateísmo dogmático, mas comentou com Lewis que as provas da autenticidade histórica dos Evangelhos eram notavelmente sólidas. Ele deveria estudar isso durante sua busca. Lewis ficou espantado, em parte por causa de quem estava fazendo a sugestão, e em parte por causa de sua própria disciplina acadêmica. Ele era historiador literário, mas jamais estudara os quatro Evangelhos da mesma forma como abordara outros textos clássicos em seu campo.

Lewis decidiu ler e estudar os Evangelhos como crítico literário e ficou abalado até o âmago pelo que encontrou. "O que pensar de Jesus Cristo?", ele perguntou. O problema histórico nos Evangelhos está centrado no enigma da identidade de Jesus de Nazaré, que confronta qualquer um que os leia com a mente aberta. Será que Jesus era apenas um profeta que operava milagres, um impostor messiânico ou mais do que isso? Acima de tudo, como Lewis iria reconciliar os dois elementos de prova sobre Jesus que se destacavam no texto — a "profundidade e sensatez de seu ensinamento moral" por um lado, e "a espantosa natureza das observações teológicas desse homem" por outro. Lewis ficou especialmente perturbado porque todas as suas leituras e estudos tornavam uma coisa clara: nenhum grande instrutor moral jamais alegara ser Deus. Na verdade, quanto mais elevado o instrutor, menos provável essa alegação. Então, o que significava que, enquanto Confúcio, Buda, Zoroastro, Sócrates e Maomé haviam se detido nesse ponto, o maior instrutor de todos fizera essa alegação repetidas vezes — e o fizera diante do único povo neste mundo absolutamente predisposto a rejeitar a própria ideia de que Deus pudesse se tornar um homem?

Quando Lewis reconheceu esse problema, percebeu que, apesar de toda a habilidade acadêmica, seus colegas professores não eram rigorosos na forma como discutiam a questão. Eles se contentavam em tirar o chapéu para Jesus como o grande instrutor moral, ao mesmo tempo que ignoravam as provas contrárias. Lewis, o crítico textual, não podia fazer isso. Precisava ser mais rigoroso. "Não venhamos com esse absurdo condescendente sobre ele ser um grande instrutor de moral. Ele não deixou isso aberto para decidirmos. Ele não quis fazer isso." Os registros históricos sobre Jesus são claros, e havia poucas teorias para explicar as flagrantes contradições que Lewis percebia.

Talvez Jesus de Nazaré fosse um mentiroso. Talvez fosse um lunático. Talvez fosse uma lenda fabricada por seus seguidores. Lewis estava decidido a decifrar o mistério criado pelos copiosos e extraordinários indícios diante dele. Ponderou cada possibilidade, uma por vez, e rejeitou sobriamente as primeiras três porque não combinavam com as evidências. Com relutância, Lewis analisou a última possibilidade que restava: se Jesus falava como Deus falando por meio dele, e agia como Deus agindo nele, ele estava claramente falando e agindo como Deus. Jesus estava falando e agindo como se realmente encarnasse o impensável — *o Deus de Israel, YHWH, presente em pessoa e em poder*. Se isso era verdade, e aquela era a única conclusão que se ajustava a todos os fatos, tratava-se de algo escandaloso e atordoante. Não era o que ele esperara e certamente não era o que ele desejava. Ele valorizava a própria independência como pessoa e como pensador, e desconfiava fortemente do que considerava uma interferência exterior.

O clímax e conclusão do relato de C. S. Lewis é frequentemente usado de modo impróprio — como se fosse um truque de festa, ou como se fosse possível defender a fé no mesmo número de segundos que leva para se dizer: "Mentiroso, lunático, lenda ou Senhor?". Essa simplificação é superficial e ridícula. Agostinho de Hipona descreveu celebremente como se converteu escutando duas palavras ditas por uma criança no jardim de um vizinho, *Tolle lege* ("Toma e lê"). Chesterton expressou sua descoberta em um segundo apenas, e Lewis, suas opções e conclusão dramáticas em apenas um ou dois segundos a mais. Entretanto, em todos os três casos, foram lampejos de intuição na longa e sinuosa estrada que foi a jornada de sua vida rumo à fé. O mesmo acontece com outros investigadores. O lampejo de uma intuição e a força de certos indícios podem irromper em um instante, mas dependem de mais do que uma única frase ou um conjunto de fatos isolado. Tais momentos explodem no coração e na mente porque a lógica de repente toca a vida e reúne todas as horas invisíveis de luta e busca por trás daquele instante. A história de qualquer investigador pode ser inspiração e encorajamento para outros investigadores, mas é preciso haver um momento em que um relato distante, de uma terceira pessoa, se torne um compromisso mais íntimo entre

"Eu/Você". Que é o que dá força aos investigadores posteriores para verem a questão por si mesmos como o investigador original a viu.

Nesse caso, quando se considera os indícios sobre a identidade de Jesus, há também outro fator. O mesmo indício convincente sobre sua identidade mostra que Jesus era mais do que alguém em uma missão individual. Como o investigador, Jesus certamente também estava à procura. Sua missão era buscar todos os que haviam se desgarrado e se dado conta de que estavam perdidos. Eles haviam perdido contato com o pai, e ele viera convidá-los a voltar para casa. Na verdade, a pergunta "Onde você está?" ressoa repetidas vezes, e Jesus esperava claramente que cada investigador respondesse a ele. O factual, o comprobatório e o histórico, todos desempenham um papel, e um papel essencial, mas, uma vez mais, a busca se caracteriza pelo pessoal e o existencial. Deus respeita nossa liberdade, mas está procurando por nós ainda mais do que nós estamos procurando por ele.

Qual e quando

Vale a pena ressaltar aqui uma questão pequena, mas interessante, que descrevi em meu livro *Conversa de tolos*. Uma das discussões mais fúteis no pensamento contemporâneo é o debate entre aqueles que defendem que fé e bons pensamentos derivam de se ter o sistema de pressuposições correto e aqueles que afirmam que eles derivam de se ter comprovações sólidas. O que deve ficar claro a partir desta descrição da jornada rumo à fé é que a resposta não é "isso ou aquilo", mas "tanto um quanto outro", e "qual e quando". Tanto pressuposições quanto comprovações são partes-chave da busca do investigador, e a verdadeira questão é em qual focar, e quando.

Pense na relação entre pressuposições e comprovações da seguinte forma: antes de chegarem à primeira fase, as pessoas não têm interesse em qualquer busca. Estão satisfeitas com aquilo em que creem, e estão fechadas a todas as outras possibilidades. Esse fechamento é em função de suas pressuposições anteriores. Pressuposições são o fator principal nesse estágio. Se alguém tenta apresentar um indício sobre qualquer outra fé nesse estágio, pode deixar as pessoas intrigadas, mas dificilmente o indício as induzirá a mudar de ideia. Seja qual for a fé que possuem, esta é constituída por um sistema de suposições que explicará tudo o que o contradiz. Quer seja atraente e interessante, quer não, qualquer novo indício apresentado nesse estágio terá pouca força.

Muito provavelmente, qualquer novo indício anterior à primeira fase passará pela mente da pessoa sem deixar marcas, entrará por um ouvido e sairá pelo outro. Como Arthur Koestler admitiu sobre seu compromisso inicial com o marxismo, o comunismo montou uma "máquina de filtragem automática em sua mente". Ele classificava "tudo o que me escandalizava como 'herança do passado' e tudo aquilo de que gostava como as 'sementes do futuro'". Quando se adota esse sistema, nenhum conjunto de provas puramente intelectuais poderá abalar sua fé no marxismo e no Partido. Foi necessário que a vida e a história, o "pé-de-cabra dos acontecimentos", fizessem isso, mas só com a passagem do tempo e por meio da experiência.

Tudo muda, no entanto, quando as pessoas chegam à primeira fase e se tornam investigadoras. Aqueles para quem a vida lançou uma pergunta estão no processo de romper com as antigas pressuposições e buscar novas e melhores. Estão agora menos presos às velhas crenças e mais abertos a novas possibilidades. O sistema de suas suposições anteriores não funciona mais para afastar todas as outras ideias. Visto desse modo, o sistema de pressuposições se torna o próprio cerne da questão para os investigadores na segunda fase, pois o que eles estão procurando são pressuposições alternativas para responder às perguntas que as velhas crenças não conseguem mais responder. Se, em sua procura entre as famílias de fé, eles pressupuserem que alguma nova fé é verdadeira, será que ela iluminará seu mundo e fornecerá respostas sólidas a suas perguntas?

A terceira fase, em contraste, refere-se às comprovações, e isso é adequado. Mas quando o investigador considera provas durante essa fase — vamos dizer, sobre a fé cristã, as comprovações sobre a confiabilidade dos Evangelhos ou sobre a historicidade da ressurreição de Jesus —, o foco sobre as comprovações é natural e extremamente importante. Neste estágio, as comprovações não são mais fatos concretos, quanto mais "fatos cristãos" que poderiam ser absorvidos por um sistema alternativo de fé. São agora fatos que fazem pleno sentido dentro do sistema da visão de mundo cristã sob consideração, e são agora considerados com uma mente aberta porque o próprio investigador agora tem a mente aberta. Neste terceiro estágio, as razões apresentadas para comprovar a verdade do cristianismo servem para dar apoio a uma base sólida para o investigador verificar a adequação e a verdade da fé cristã.

Em suma, a verdade é altamente controversa hoje em dia, mas não se deve evitar a terceira fase e sua insistência na questão da verdade e das comprovações. Nenhum pensador seriamente responsável que deseje levar uma vida examinada pode fugir da questão da verdade. Aqueles que estão examinando a fé cristã, por exemplo, deveriam ler o Evangelho de Lucas ou o Evangelho de João. Considere o que Jesus diz e demonstra sobre si mesmo e pergunte-se quem você pensa que Jesus é. A razão final para qualquer um de nós acreditar é chegar à convicção de que o que cremos é verdadeiro, e que nossa fé é uma convicção plenamente justificada. Neste caso, chegar à convicção de que Jesus é o que ele diz que é: Senhor e Deus.

Mais uma vez, a conclusão ao final deste estágio da busca é simples. Longe de um estorvo, a insistência sobre a verdade é um trunfo que vence todas as outras cartas. Ninguém jamais deveria crer no que não crê ser verdade. Nenhuma outra fé leva a verdade mais a sério do que a fé judaica e a cristã, o que acarreta maiores consequências para toda a sua visão da vida. Por causa de quem Deus é, e do que ele exige daqueles que vêm a conhecê-lo e a viver segundo seus ensinamentos, a fé cristã se sustenta e cai, sem se envergonhar nem um pouco disso, por suas alegações de verdade. Alcançar o terceiro estágio e ser convencido de que a fé cristã é verdadeira é, portanto, um marco monumental na jornada do investigador. Entretanto, nem mesmo essa convicção em si é o fim da grande busca.

8

Passo rumo ao lar

Quarta fase: Tempo de compromisso

A quarta fase na grande busca é o clímax e auge da procura da fé e sentido — *um tempo de compromisso*. Este é o momento, e geralmente é um momento em vez de um longo período, quando todos os estágios anteriores da busca se juntam natural e completamente. Assim como um casal que veio a conhecer um ao outro escolhe assumir o noivado com o fim de se casar, da mesma forma a procura do investigador conduz a uma escolha e a um ato de compromisso que representa um passo de fé para o investigador. À luz de tudo o que conduziu a isso, essa escolha é verdadeiramente um passo de fé e não um salto de fé, muito menos um salto no escuro. O passo é plenamente racional e nem por um instante irracional, embora seja também mais do que racional por uma óbvia razão: nós seres humanos somos assim. A escolha se baseia em uma firme convicção sobre a verdade e realidade da fé, mas é a escolha feita pelo investigador como uma pessoa inteira, então é garantido pelo coração e pela vontade, e não apenas pela mente.

Esta fase é o passo decisivo rumo à fé que abre as portas para se encontrar o sentido da vida. Na primeira fase da busca, as perguntas criam um investigador e estimulam a procura de respostas. Na segunda fase, a procura abrangente de uma resposta conduz à descoberta de uma resposta específica que se pensa ser tanto significativa quanto adequada. Na terceira fase, o investigador examina meticulosamente essa resposta e levanta outra pergunta crucial, por sua vez: Essa resposta, além de atraente, é também verdadeira, e há sólidas razões para acreditar nela? Se e quando essa questão for resolvida com êxito, e estiver claro que a crença na resposta é uma crença justificada, então tudo converge e conduz à quarta fase.

Esta última fase é o momento em que a lógica da busca em desenvolvimento desafia o investigador à escolha decisiva: Você está disposto a dar o passo de fé, erguendo-se, dando um passo em frente e assumindo o firme compromisso de crer de acordo com tudo o que descobriu na busca até esta altura? Ou será que ainda está insatisfeito ou relutante, e prefere voltar e procurar por respostas em outro lugar, ou desistir da busca definitivamente?

Aqueles que dão um passo em frente para depositar sua fé em Deus estão respondendo à pergunta de Deus, "Onde você está?", com uma firme resposta: "Estou aqui". Para eles, este quarto estágio é o momento em que a fé se torna real em experiência. É o tempo em que o investigador realmente encontra Deus. A fé não é mais meramente ideias e conversa. Não é mais abstrata e distante, mas íntima e pessoal. A verdade da realidade se manifesta ao investigador como uma questão de experiência, e não apenas teoria. As conversas e pensamentos sobre Deus, que é tudo o que as fases anteriores acarretavam, se transformam em conhecer a Deus na realidade. A fé não é mais meramente uma comparação de alegações. As alegações de verdade convergiram para uma realidade para a qual elas apontam, de modo que verdade e realidade são uma coisa só. Afinal, como observa C. S. Lewis: "A verdade é sempre sobre algo, mas a realidade é aquilo sobre o que a verdade é". Conhecer a verdade é conhecer a realidade da realidade. Impelida por suas perguntas, a mente do investigador percorreu este mundo como um batedor. Procurou e procurou por uma resposta, encontrou uma e então se convenceu da adequação e verdade da resposta. O desafio agora é para o investigador como uma pessoa em sua totalidade — não apenas mente, mas coração e vontade —, e é a pessoa em sua totalidade que arca com a responsabilidade e dá o passo de fé que é a conclusão da jornada. A realidade está no encontro.

Mais do que razão, mas plenamente racional

Será que preciso enfatizar novamente que o passo de fé é plenamente racional? Vale a pena repetir só por causa da acusação chavão de que a fé em Deus é irracional — uma acusação que é, em si, embaraçosamente irracional à luz do esmagador testemunho de grandes pensadores como Santo Agostinho, Tomás de Aquino, Isaac Newton, Blaise Pascal, G. K. Chesterton, C. S. Lewis, Michael Polanyi, Alasdair MacIntyre e Alvin Plantinga. A fé em Deus é um passo dado à luz da razão, e tudo menos um salto no escuro. Pode certamente ser um passo dado sob profundas emoções, mas é uma decisão tomada sobre a realidade objetiva e não é puramente subjetiva. Para qualquer um que tenha seguido cada estágio da jornada aqui descrita, do seu próprio jeito e em qualquer velocidade, não há dúvida de que a fé a que chegou nesta quarta fase é uma fé justificada.

Todavia, ainda que o passo de fé seja plenamente racional, e nem por um segundo irracional, é certamente mais do que racional. É mais do que racional porque é o compromisso de uma pessoa em sua totalidade, e, como seres humanos, todos somos mais do que simplesmente racionais. Pensamos e agimos com emoção e vontade, assim como com a mente. Por bem ou por mal, podemos sentir intensamente o passo dado e podemos decidir dá-lo com entusiasmo, dúvida ou relutância. Podemos dar o passo em frente com alegria ou com lágrimas, mas a razão principal para o passo é ainda racional. Santo Agostinho considerava o lugar do pensamento na fé fora de questão. "A fé não é nada se não for resultado do pensamento", escreveu ele, em palavras que são o equivalente cristão da valorização de Sócrates da vida examinada. A questão em que ele insiste é importantíssima para o investigador que deseja pensar. Pensar é indispensável para crer, pois devemos sempre crer apenas no que é verossímil. "Nem todos os que pensam creem", continua o grande pensador do Norte da África em seu ensaio sobre a Trindade, "pois muita gente pensa a fim de não crer; mas todos os que creem, pensam, pensam crendo e creem pensando."

A declaração de Agostinho, o exemplo de sua própria árdua procura como filósofo, e a forma como incontáveis pessoas pensantes atravessaram esses estágios com cuidado em sua jornada rumo à fé em Jesus são suficientes para demolir a absurda acusação contemporânea de que a essência da fé cristã é irracional — a acusação de que fé é uma questão de fideísmo ou má-fé, uma fé sem razão e contra toda a razão, e na qual se crê por falsas razões. Essa acusação é uma calúnia que está ridiculamente longe da verdade, porém críticos como Richard Dawkins a entoam repetidas vezes como uma cantiga infantil, como se a repetição a tornasse verdadeira. Mas o que é ser irracional? Pois o que poderia ser mais irracional do que alguém ficar reiterando alegações falsas muito tempo depois de elas terem sido inteiramente contestadas por algumas das mentes filosóficas mais brilhantes de nosso tempo, e pelo registro de várias das mentes mais brilhantes ao longo dos séculos?

Entendida adequadamente, a racionalidade de uma fé profundamente justificada serve a um duplo propósito. Silencia a acusação de fideísmo e também fornece a base para uma confiança adequada na razão que o racionalismo jamais forneceu. Cristãos pensadores pensam. Eles pensam ao crer e creem ao pensar. Que o testemunho da história fale por si mesmo. É tempo de o crítico honesto admiti-lo. Há diferenças importantes entre as famílias de fé, mas a acusação de que o secularismo é racional enquanto a fé cristã é irracional é uma calúnia, e nem mesmo uma calúnia racional para qualquer um que verifique as evidências por si mesmo.

Em seu clássico poema épico "Inferno", primeira parte de *A divina comédia*, Dante observou que a razão tem asas curtas. A razão, nesse sentido, é como um pinguim. Pinguins são pássaros orgulhosos, belos e amáveis, enquanto o albatroz, graças ao poema de Samuel Taylor Coleridge, "A balada do velho marinheiro", apresenta conotações quase todas negativas ("ataram um albatroz em torno do meu pescoço"). Mas o fato é que, quando se trata de voar, o orgulhoso e amável pinguim não o consegue de jeito nenhum, enquanto o grande albatroz, com sua envergadura de um metro e meio, cavalga os ventos como o monarca sem rival dos oceanos. Da mesma forma, a razão é essencial e indispensável à vida, e plenamente digna dos mais elevados tributos prestados a ela. Mas há algo que Dante reconhece e muitos ateus não entendem. Quando se trata de conhecer a Deus e alcançar as formas mais profundas de conhecimento no universo, o albatroz atinge alturas superiores ao pinguim. Os voos mais elevados da imaginação, da experiência e do amor humanos precisam usar a razão para chegar mais alto do que a razão pode chegar por si só. A vida ainda guarda mistérios, mas, para aqueles com fé em Deus, existe sentido por trás do mistério.

Como o salto de um leão

O passo de fé dado nesta última fase é ponderado e inclui três componentes importantes. Inclui *conhecimento* que se transformou em *convicção* e agora está se transformando em *confiança*. A fé inclui conhecimento, porque não se pede a ninguém que confie em outra pessoa sobre quem não se sabe coisa alguma. Inclui também convicção, porque não só se é atraído para aquilo a que a fé se refere, mas é preciso também se assegurar de sua verdade. E, finalmente, inclui confiança, porque a fé não é meramente estar convencido de algo, é a pessoa em sua totalidade se comprometendo com alguém — Deus. Isso apresenta uma consequência espantosa: nunca em nossa vida somos mais livres, mais ativos e mais responsáveis do que quando agimos motivados pela decisão de depositar nossa fé em Deus e partir na jornada para o lar, para Deus.

Nos dias sombrios antes da Segunda Guerra Mundial, Simone Weil escreveu: "Não possuímos nada neste mundo além do poder de dizer 'eu'". Essa afirmação simples, mas profunda, é verdadeira para cada um de nós, e é a mesma verdade fundamental que entra em jogo na quarta fase da busca. Nunca somos mais nós mesmos do que quando ouvimos a pergunta de Deus que alcança até os recessos mais profundos de nosso coração e mente: "Você está aí? Você está pronto?". E nós respondemos: "Estou aqui".

O desafiador senso de responsabilidade na fé me fez pensar em quando li a respeito da conversa sobre fé entre um europeu e um membro do povo massai no Quênia. O europeu usou determinada palavra para definir fé, mas o queniano a rejeitou com um som de desdém. A palavra massai que o europeu usara significava simplesmente "assentimento" ou "acordo". Ele comparou essa palavra inadequada com "um caçador branco atirando em um animal com sua arma de uma grande distância. Apenas seus olhos e dedos participaram do ato". A verdadeira fé, o massai afirmou, era de todo o coração e podia ser simbolizada por um leão caçando. "Suas narinas e olhos capturam a presa. Suas pernas lhe dão a velocidade para alcançá-la. Toda a força em seu corpo está envolvida no terrível salto mortal e único golpe no pescoço com a pata da frente, o golpe que realmente mata. E, à medida que o animal tomba, o leão o envolve nos braços [os quenianos se referem às patas da frente de um animal como seus braços], puxa-o para si e torna-o parte de si mesmo. Essa é a forma como um leão mata. Essa é a forma como uma pessoa crê. Isso é o que é fé."

Essa plena adoção da fé por uma pessoa responsável e integral se destaca no clímax da jornada de C. S. Lewis do ateísmo ao teísmo. Desde os primeiros estímulos que recebeu por meio de sinais de transcendência, sua busca o conduziu por diversas fases, mas, enquanto passava pela investigação de provas, ele vivenciou um estranho desafio para tomar uma decisão. Ele sabia, declarou, que lhe estava sendo oferecido "um momento de escolha absolutamente livre". Mas sentia também um puxão poderoso na direção oposta. Sentado no ônibus de dois andares subindo a Headington Hill do Magdalen College para sua casa, ele estava consciente de que estava evitando algo, excluindo algo. Conforme recordou mais tarde, era como se estivesse usando roupas justas demais, talvez até uma armadura, ou como se ele fosse uma lagosta em sua carapaça protetora. Cabia a ele e só a ele jogá-la fora. "Senti que estava recebendo, naquele local e momento, uma livre escolha. Podia abrir a porta ou mantê-la fechada; podia tirar a armadura ou continuar vestindo-a. Nenhuma das opções foi apresentada como um dever; não havia nenhuma ameaça ou promessa embutida em nenhuma delas, embora eu soubesse que abrir a porta ou tirar o colete significava o incerto. A escolha parecia ser importantíssima, mas era também estranhamente isenta de emoções. Eu não era movido por desejos ou temores. Em certo sentido, eu não era movido por coisa alguma."

Lewis tomou sua decisão sentado em um ônibus de Oxford. "Escolhi abrir, tirar a armadura, afrouxar as rédeas. Digo 'escolhi', mas não parecia realmente possível fazer o oposto. Por outro lado, eu não estava consciente dos motivos. Pode-se argumentar que eu não era um agente livre, mas estou mais inclinado a pensar que este chegou mais próximo de ser um ato perfeitamente livre do que a maioria dos que realizei antes." E concluiu: "Sou o que faço".

Há um momento em que a escolha de agir vai além de uma discussão de motivos, pois até mesmo a consciência de nossos próprios motivos pode se tornar uma forma de necessidade que nos livra da responsabilidade. O momento de fé é um momento em que nenhuma parte de nós é isenta. Somos interpelados como pessoas integrais, sem nenhuma desculpa, sem condições e sem cláusulas de escapatória. Tudo o que somos a cada vez que dizemos "eu" a sério é interpelado e desafiado a mostrar-se à altura da escolha e arcar com a responsabilidade de nossa resposta.

Quem está procurando por quem?

A jornada rumo à fé e ao sentido se completa nesta última fase da busca, um tempo de compromisso. Como uma expressão da vida examinada, ela é plenamente racional e plenamente responsável. Ainda assim, este relato da jornada ainda está irremediavelmente incompleto por uma razão importante. Eu descrevi propositalmente as coisas quase todo o tempo exclusivamente da perspectiva do investigador, mas isso é apenas metade da história. A diferença crucial entre Jerusalém e Atenas, já mencionada, irrompe inequivocamente neste quarto estágio. Para aqueles que seguem o caminho grego de pensamento, que incluem hindus, budistas, ateus e a maioria das filosofias e religiões do mundo, a busca se limita ao lado humano da investigação, e as conclusões são convicções humanas apenas, quer sejam brilhantes, quer não. A iluminação do Buda no parque dos cervos em Varanasi, por exemplo, e o manifesto de Bertrand Russell, *O culto de um homem livre*, foram ambas apenas reflexões humanas. Ambas se basearam somente na razão, e nenhuma delas se desviou um centímetro além do que a razão humana lhe permitia concluir.

O entendimento judeu e cristão da busca é bem diferente — embora muitas vezes a diferença se torne aparente apenas neste quarto estágio, e às vezes apenas em retrospecto. Este é o momento em que, de repente, o investigador se dá conta de que a grande busca não é apenas a nossa procura de Deus, mas a procura de Deus por nós. Jesus, por exemplo, retratou Deus como uma mulher procurando uma moeda que havia perdido, e como um pastor procurando uma ovelha desgarrada em todos os lugares. Todo o seu propósito neste mundo, ele declarou, era buscar aqueles que estavam perdidos. Ele disse que era como um médico que estava lá para cuidar daqueles que sabiam que não estavam bem. A Bíblia é uma história longa e sublime tecida a partir de mil histórias menores. Mas, desde a primeira pergunta dirigida a um ser humano, "Onde você está?", não é tanto a história da humanidade à procura de Deus quanto a história de Deus à procura dos seres humanos. É a história da busca incansável de Deus para nos trazer de volta a um relacionamento com ele como a fonte da vida e do sentido. Vir a conhecer a Deus é voltar para o lar, e ninguém desde Jesus o retratou mais comoventemente do que Rembrandt em sua obra-prima "A volta do filho pródigo".

Talvez de modo surpreendente, este quarto estágio da jornada geralmente é quando a presença de Deus se torna clara e inconfundível pela primeira vez. Nós agora descobrimos, percebendo de repente quão turva estava nossa visão para não o ter visto antes, que Deus esteve presente na busca o tempo todo. Para aqueles investigadores que se detiveram e foram impelidos à procura por meio do alarme de um sinal de transcendência, o sinal era uma pista inicial de que a procura não era algo limitado a eles. Havia algo, ou melhor ainda, alguém exterior a eles que os estava impelindo para a frente. O sinal era genuinamente um sinal e não um ruído aleatório. Porém, nesse estágio final, as pistas se tornaram inequivocamente claras e o sinal tão ensurdecedor que o investigador é confrontado com a verdade como nunca antes.

É como se um cavaleiro à procura do Graal se encontrasse no limiar da descoberta, mas, exatamente nesse instante, fosse detido por uma luva caindo em seu caminho, largada pelo próprio rei. Ele deve pegar a luva ou não? Seu cavalheirismo e toda a sua busca estão em jogo. O ônus não recai mais sobre seguir o rastro, mas sobre sua reação à confrontação. O desafio ao investigador é o que irá fazer com a presença de Deus, que está postado frontalmente em seu caminho. Já há muito tempo Deus era uma possível resposta à pergunta do investigador, mas agora o investigador precisa dar uma resposta à pergunta de Deus. À medida que o investigador avança e, ao fazê-lo, transforma-se de investigador em crente, passa a ser responsável plenamente, de todo o coração, naquele momento assim como em qualquer momento da busca. Agora, porém, está espantosamente claro que é bem mais do que simplesmente um passo individual.

A compreensão pode raiar devagar ou rapidamente, mas, quando raia, é como o céu ao nascer do sol. Num minuto tudo está escuro e, no minuto seguinte, tudo é luz. Num instante, o investigador assume um compromisso. Todos os investigadores sabem, como nunca souberam nada na vida tão claramente até aquela altura, que são mais responsáveis pelo passo de fé do que por qualquer outra escolha que já tenham feito na vida, e que nunca foram mais plenamente eles mesmos do que ao dar esse passo. No momento seguinte, contudo, percebem também que o que haviam julgado que talvez fosse o objetivo da busca havia sido o tempo todo seu guia. Não é tanto que eles encontraram a Deus, mas que foram encontrados por Deus. O tempo todo, os investigadores achavam que estavam procurando, mas, na verdade, estavam sendo procurados, pois Deus só pode ser conhecido com a ajuda de Deus.

"O cão de caça do céu", como o poeta Francis Thompson chamava a Deus, havia rastreado o investigador.

Pensar de outra forma e dar ênfase demais à procura humana de Deus é inverter a ordem das coisas. Como C. S. Lewis expressou encantadoramente, é ver nossa procura como semelhante a um "rato à procura do gato". Realmente, ele escreveu, "nunca tive a experiência de procurar a Deus. O que aconteceu foi o contrário. Ele era o caçador (ou, pelo menos, foi o que me pareceu), e eu era o cervo". Mas foi isso o que o armou contra "os temores subsequentes de que a coisa toda fosse apenas um desejo de satisfação. Algo que não se desejou dificilmente pode ser qualificado assim".

Como pudemos ter sido tão cegos ou tão estúpidos de pensar que a busca pelo sentido da vida se referia a nós somente? Muitas pessoas iniciam a grande busca pensando que Deus, se é que existe um Deus, deve preencher os requisitos de nossa razão. Estão determinadas a descobrir uma certeza comprovada para a fé, de modo que possam dar a Deus a honra de crerem nele. Exploramos as provas filosóficas, por exemplo, para ver se temos fundamentos para oferecer a Deus um reconhecimento formal de sua existência — mas acabamos descobrindo que a verdadeira questão não é o que fazemos de Deus, mas o que Deus faz de nós. Esta última fase é, portanto, humilhante para nosso orgulho. Não conseguimos conhecer a Deus sem Deus, ou estar à altura de Deus sem Deus, então as pretensões orgulhosas de nossa minúscula mente e nosso apodrecido coração se reduzem a seu tamanho adequado. Será que realmente pensamos que nossa pequena mente poderia decifrar os mistérios da existência sozinhos? Será que realmente acreditamos que, do jeito que somos, somos moralmente dignos de encontrar o autor da vida, da luz, da verdade e de tudo o que é bom? O simples fato é que temos de fazer nossa parte na busca; mas, sem Deus, não conseguimos conhecer a Deus, e conhecemos a Deus somente quando o encontramos.

Se a busca se limitasse à inteligência e à engenhosidade humanas, Sócrates, Platão, Aristóteles, Newton, Einstein e uma longa série de premiados pelo Nobel levariam uma vantagem incontestável sobre o restante de nós. Mas, apesar de toda a genialidade, nem eles nem qualquer ser humano conseguem chegar a Deus sozinhos. O caminho mais rápido e mais seguro para o sentido da vida é encontrar aquele que criou tanto a vida quanto o sentido. Não somos capazes de conhecer a Deus sozinhos, mas ele escolheu se comunicar conosco — na revelação. Pensávamos que estávamos procurando por Deus, mas, esse tempo todo, Deus estava procurando por nós. O grande enciclopedista e ateu francês Denis Diderot gostava de dizer que a palavra que resumia o Iluminismo era *razão*. Neste quarto estágio, o investigador descobre, com muita alegria, que a palavra que resume a fé judaica e cristã é *graça*.

Pode parecer ridículo detalhar essa questão. Ela é, certamente, bastante óbvia quando consideramos nossa insignificância como humanos. Não somos sábios o bastante para encontrar a Deus sozinhos, nem bons o suficiente para ser dignos de conhecer a Deus sozinhos, portanto precisamos que Deus se revele a nós e precisamos que Deus nos redima. Mas há uma gloriosa razão que vai além disso. Encontrar o Deus de Abraão, Isaque, Jacó e Jesus é encontrar Deus como uma Pessoa, a suprema Pessoa e Presença, em quem nossa própria pessoalidade e real presença é fundada e confirmada. O Deus que nos encontra na Bíblia não é como os deuses dos pagãos e dos gregos — um ideal intelectual, uma projeção das forças da natureza, como o sol, o mar ou a tempestade. Deus também não é outra palavra para a existência e para o ser em si, como no panteísmo. Deus é uma pessoa como nós somos pessoas, ou melhor, nós somos pessoas como Deus é uma pessoa, porque fomos feitos à sua imagem e semelhança.

Nisso está a glória da pessoalidade nesta quarta fase da busca. Deus está procurando pelo investigador ainda mais do que o investigador está procurando por Deus, assim como por fé e sentido. Mas ser uma pessoa tem tudo a ver com o coração, a liberdade e a responsabilidade da pessoa que está aberta a outras pessoas. Deus é uma pessoa e, em sua soberana liberdade, ele é o sujeito e não o objeto, então, se queremos conhecê-lo, ele precisa se mostrar a nós, e ele o faz. Mas, se somos pessoas também, Deus, em cuja imagem fomos feitos, nos respeita como pessoas, por isso ele não irá invadir nosso coração. Tudo o que somos, nosso pensamento, sentimentos e vontades, brota do coração. Em consequência, Deus respeita a liberdade humana e não invadirá o coração humano *a não ser que nós o deixemos entrar*. Assim, o coração da fé é o apelo: "Dê-me seu coração". Como o artista pré-rafaelita Holman Hunt retratou de modo tão simples no quadro *A luz do mundo*, a porta para o coração não possui maçaneta do lado de fora. Precisa ser aberta de dentro.

Essa ênfase na liberdade, na responsabilidade e na natureza bidirecional de um relacionamento deveria ser óbvia a partir de nossa experiência. Por exemplo, são necessários dois para haver amor. Mas, de algum modo, nos esquecemos disso quando falamos sobre Deus, como se a certeza de nossa fé dependesse de nossa razão e de longos e complicados argumentos e árduas provas filosóficas. Que absurdo!

A verdade é que só conhecemos uns aos outros como pessoas quando deixamos que os outros nos conheçam, e eles nos deixam conhecê-los. Não é diferente com Deus. Conhecer a Deus requer honestidade sobre nós mesmos, mas encontrar-se com Deus começa e termina em Deus. Abrimo-nos a ele, e ele se abre a nós — como ele prometeu. A fé forjada por esse passo não é a mesma que o conhecimento de um espectador, quanto mais as conclusões do filósofo de poltrona. É o conhecimento que começa quando uma pessoa se encontra com outra pessoa. Comprometemo-nos com Deus e ele se compromete conosco. Mesmo assim, esse é o conhecimento nascido da experiência que irá começar com o passo da fé, depois se aprofundar em confiança e entendimento, e finalmente, florescer em amizade e amor.

A quarta fase significa que, no momento do compromisso, tudo se junta, e a busca de repente se abre em conhecimento, conhecimento em confiança, e conhecimento e confiança em amor a Deus — tudo possibilitado pela experiência inequívoca de ser procurado e amado por Deus. A teoria que foi tema das fases anteriores da busca fundiu-se à realidade, a curiosidade foi engolida pela descoberta e o desejo se realizou pela satisfação. O coração da fé é a fé do coração.

Sua própria vida

Lembre-se da paixão do *Pensador* de Rodin e nunca se esqueça de que o coração da fé é o amor. Espero que esta descrição da busca não tenha soado resumida e árida demais. Enfatizei o tempo todo que a investigação é pessoal e existencial, e a busca é uma aventura mais do que uma simples argumentação. Nossa própria existência é colocada em jogo por ela, então a busca requer envolvimento passional tanto quanto clareza de pensamento. Mas o que se torna claro neste quarto estágio é mais elevado do que isso. Quando os investigadores são interpelados e desafiados a responder como pessoas íntegras diante de Deus, percebem que o alfa e o ômega de toda a procura é o amor. Nunca somos mais nós mesmos como humanos do que quando amamos livremente. O amor é a energia mais poderosa do universo, e um desejo e capacidade centrais de toda pessoa humana. Mas será que o amor é uma realidade ou é um fogo fátuo que dança diante de nós, sempre fora do alcance? Não, a fé descobre, no encontro com Deus, que o amor é gloriosamente real. O amor é aquilo para que fomos feitos, e nosso amor é tanto fundamentado quanto requisitado porque o próprio Deus — que procura por nós como nós procuramos por ele — é amor.

Isso significa que conhecer a Deus é descobrir que amar e ser amado é o próprio coração e alma da fé e sentido da vida. Nós humanos nunca nos elevamos tão alto, nem somos mais nós mesmos, do que quando amamos a Deus e as outras pessoas assim como Deus, que nos criou a todos, ama a todos nós. Isso significa também que, se a grande busca termina apenas em proposições e credos, e não em confiança e amor, a busca deu errado. Proposições e credos são importantes, mas confiança e amor são bem mais profundos. A grande busca nunca trata simplesmente de filosofia ou teoria, ou mesmo da fé por si só. Não estamos falando sobre fé na fé, ou pensamento positivo. A fé envolve a pessoalidade e pessoas entrando em um relacionamento de confiança e amor. Conhecer a Deus, a suprema Pessoa e Presença que é ela própria amor, nos conduz a um relacionamento com sentido e a um modo de vida que consiste em desfrutar dos aspectos profundos do amor, da lealdade e da liberdade.

Albert Einstein declarou celebremente que "tudo deve ser feito tão simples quanto possível, mas não mais simples do que isso". Ken Boa, meu amigo e filósofo, ressalta que a teoria da relatividade de Einstein é o melhor exemplo de sua própria máxima. A fórmula $E = mc^2$ do grande cientista resume a teoria com elegante simplicidade. Da mesma forma, comenta meu amigo, João o apóstolo resumiu a promessa de boas-novas de Jesus com profunda, mas elegante, simplicidade: "Porque Deus amou tanto o mundo que deu seu Filho único, para que todo o que nele crer não pereça, mas tenha a vida eterna" (Jo 3.16). Profunda verdade, espantosa simplicidade — uma promessa suficientemente rasa para que uma criança possa nela chapinhar e profunda o bastante para uma grande mente nela mergulhar e nunca ter medo de chegar ao fundo.

Nossos joelhos ou calcanhares?

A grande busca é uma jornada com mil escolhas. A cada passo do caminho, houve escolhas de todos os lados. Investigar ou contentar-se com diversões e barganhas com a vida? Escutar os sinais ou tampar os ouvidos e acomodar-se na caverna sem janelas? Reservar um tempo para ponderar as diferenças entre as famílias de fé ou simplesmente seguir a tradição, o consenso ou a multidão? Verificar os indícios ou dar um salto no escuro? Agora, mesmo neste último estágio da jornada, o investigador ainda tem uma escolha: cair de joelhos ou girar nos calcanhares.

Nietzsche se referiu a pensadores que se recusavam a enfrentar os "pontos de risco" em seu pensamento, esquivando-se e balançando-se como um boxeador para escapar da força da verdade. G. K. Chesterton e C. S. Lewis descreveram as desculpas e evasivas às vezes hilárias e frequentemente contraditórias que as pessoas dão quando não querem se convencer da verdade. Hoje em dia, um jeito comum de se esquivar ao desafio é recusar-se a decidir. A jornada então muda completamente. Não é mais uma jornada rumo ao sentido. Ao contrário, a jornada se transforma no próprio sentido. Melhor viajar com esperanças do que chegar, diz o ditado. A busca é sua própria recompensa, dizem esses. A busca pelo sentido se torna o sentido da busca, e a busca prossegue sem nunca chegar ao fim.

A tentação nesse ponto é forte. As pessoas modernas ficam presas entre dois erros, e ambos terminam de um jeito triste. De um lado, há aquelas que não têm interesse na vida examinada porque acham que, sem necessidade da busca ou da jornada, elas já chegaram — ou, pelo menos, foram tão longe quanto se dispõem a ir. Por outro lado, há aquelas que acham que sua paixão e seu caminho na vida deveriam ser uma jornada sem fim. O sentido, se é que existe tal coisa, é como o coelho mecânico na corrida de galgos: nunca será apanhado. A busca pelo sentido é o sentido da busca. O segredo do viver bem é a vida passada na busca do viver bem.

Para tais pessoas, é impensável que se chegue algum dia, pois o que elas realmente temem é o medo supremo do consumidor — o término da escolha. Elas temem que escolher uma coisa seja fechar as portas para todas as outras opções e, assim, condenar-se ao tédio ou sentir-se eternamente melancólicas por tudo o que possam ter perdido. Para tais pessoas, a abertura é o que conta, completa abertura. Outra opção sempre pode estar se aproximando pela estrada. Falar em jornada é a moda, e falar de chegada é obsceno. Nenhuma resposta é a final, e nenhum compromisso é para sempre. Afinal, mais para a frente pode haver um emprego melhor, um casamento mais satisfatório, uma casa mais deslumbrante, uma fé mais realizadora, então por que eu deveria decidir hoje e barrar o amanhã? Uma mente fechada não é o supremo horror em uma sociedade consumidora? Mas essa viagem sem fim e sem destino é fútil, e termina como a maldição de *O holandês voador*: as pessoas se veem no lendário navio fantasma que estava condenado a nunca atracar e a singrar os mares para sempre.

Muito melhor é o convite aberto de Jesus, "Venham e vejam". Verifiquem e escolham. Venham se encontrar com todos os que já aceitaram esse convite, e juntem-se à jornada cujo destino final é o lar. Aquele que está esperando por nós é nosso Pai. Venha conosco, pois o compromisso de fé é o fim de uma jornada e o início de outra. O fim da jornada rumo à fé e o sentido é o início da jornada do resto da vida. Podemos até dizer que, para o investigador, encontrar Jesus não é nem mesmo o fim de toda a procura, mas o início da maior busca de todas. É certamente o fim da procura de alguém, mas é também o início de outra procura ainda mais profunda — a busca de conhecer a Deus cada vez melhor, que é o clímax e a alma da existência humana.

Aqui, em brilhante contraste com o destino de *O holandês voador*, é o lugar onde a busca nunca termina. Nunca termina não por causa da infinidade de opções e da impossibilidade de escolher, mas por causa da infinidade e inesgotabilidade daquele em quem encontramos nossa resposta. Santo Agostinho nos lembra do que significa vir a conhecer a Deus: "Mesmo quando ele é encontrado, a busca deve continuar".

Essa busca que dura a vida toda para conhecer aquele que é infinito e inesgotável é uma busca em que "se deve procurar para encontrar, e encontrar para procurar: procura-se para que a descoberta seja mais doce, e encontra-se para que a procura seja feita com mais avidez".

Estou aqui?

Deus está presente em seu mundo; ele não é mudo, e nós, humanos, não podemos sempre fingir ser surdos. Em toda a vida há momentos em que os sinais ressoam, as pistas são inconfundíveis, a experiência clama com uma clareza cristalina, e o coração inquieto é tomado e incendiado por um desejo verdadeiro. Pelo que você anseia? O que você deseja? A estrada rumo à fé é estimulada pelo anseio e pelo desejo, e por um pensamento de que não conseguimos nos livrar: algo nos está sendo perguntado e alguém está nos interpelando. A fé, em essência, é nossa resposta à pergunta insistente de Deus e a satisfação do desejo e do anseio.

A questão suprema, então, é como nós respondemos à pergunta de Deus e se o "Onde você está?" de Deus é respondido por nosso "Estou aqui". Quem quer que dê esse passo de fé comprometida e se prepare para ser um seguidor de Jesus, reúne-se a nós como irmão e companheiro peregrino na longa jornada para o lar. Pois embora a fé no clímax de uma grande busca possa parecer uma descoberta, ela é, na verdade, uma recuperação, um retorno do exílio e uma volta ao lar. O chamado é, na verdade, um chamado de volta.

Nesse momento, a jornada rumo à fé, que é a busca pelo sentido, está completa, mas para o investigador, que é agora um seguidor, a longa jornada para o lar apenas começou. O caminho de Jesus significa que seguimos seu chamado na longa e sinuosa estrada da vida, indo com ele para onde todos os corações e mentes inquietas encontram um lugar para parar, com alívio e alegria ao mesmo tempo. Pois quando a fé em Deus transforma a vida em uma resposta ao chamado de Deus, a morte é apenas um portal e o fim da vida neste mundo é a ida para a casa de nosso Pai. Podemos nos aposentar de um trabalho, mas nunca nos aposentaremos de um chamado. O que a morte irá abrir será o local que Jesus nos disse que ia preparar para nós. Será o local que é nosso lar, onde nosso Pai vive, e será o tempo em que a busca da vida terá terminado, e as alegrias do paraíso e do lar serão tudo o que importará.

Santo Agostinho resumiu a grande busca em suas inigualáveis memórias, *Confissões*. Tudo tem seu lugar e sua dinâmica. O fogo sempre queima para cima, as pedras sempre caem para baixo, e o desejo constante do inquieto coração humano é o lugar onde ele poderá descansar. Assim, a famosa oração de Agostinho: "Fizeste-nos, Senhor, para ti, e o nosso coração anda inquieto enquanto não descansar em ti".

"Venham e vejam." "Sigam-me." O convite ainda está aberto. Venham, persigam a vida examinada e a grande busca, e juntem-se a nós na longa jornada para o lar, onde nosso Pai está esperando por todos os que tenham aceitado sua promessa e tenham ido encontrá-lo e chegado ao verdadeiro lar de nosso coração.

Índice de nomes

Compartilhe suas impressões de leitura,
mencionando o título da obra, pelo e-mail
opiniao-do-leitor@mundocristao.com.br
ou por nossas redes sociais

Esta obra foi composta com tipografia Janson Text
e impressa em papel Pólen Natural 70 g/m² na gráfica Imprensa da Fé